왕국의 성립

The Gospel Project for Kids

is published quarterly by LifeWay Christian Resources, One LifeWay Plaza, Nashville, TN 37234, Thom S. Rainer, President. © 2016 LifeWay Christian Resources. Translated and used by permission of LifeWay Christian Resources.

This Korean translation edition © 2018 by Duranno Ministry, 38, Seobinggo-ro 65-gil, Yongsan-gu, Seoul, Republic of Korea. Published by arrangement with LifeWay Christian Resources.

본 저작물의 한국어판 저작권은 LifeWay Christian Resources와 독점 계약한 두란노서원에 있습니다.
신 저작권법에 의거하여 한국 내에서 보호를 받는 저작물이므로 무단 전재와 무단 복제를 금합니다.

가스펠 프로젝트

구약 **4**

왕국의 성립

유치부 교사용

지은이 · LifeWay Kids / 옮긴이 · 권혜신 / 감수 · 김병훈, 이희성, 정희영

초판 발행 · 2018. 8. 1 / 등록번호 · 제1988-000080호
등록된 곳 · 서울특별시 용산구 서빙고로65길 38 / 발행처 · 사단법인 두란노서원
영업부 · 02) 2078-3352, 3452, 3752, 3781 / FAX 080-749-3705
편집부 · 02) 2078-3437
표지 디자인 · 땅콩프레스 / 활동 연구 · 김찬숙, 박청아, 유은정, 이향순, 진명선, 홍선아

책값은 뒤표지에 있습니다.
ISBN 978-89-531-3173-6 04230 / 978-89-531-2975-7(세트)

홈페이지 · gospelproject.co.kr 두란노몰 · mall.duranno.com

두란노서원은 바울 사도가 3차 전도 여행 때 에베소에서 성령 받은 제자들을 따로 세워 하나님의 말씀으로 양육하던 장소입니다.
사도행전 19장 8-20절의 정신에 따라 첫째 목회자를 돕는 사역과 평신도를 훈련시키는 사역,
둘째 세계선교™와 문서선교단행본 · 잡지 사역, 셋째 예수문화 및 경배와 찬양 사역, 그리고 가정 · 상담 사역 등을 감당하고 있습니다.
1980년 12월 22일에 창립된 두란노서원은 주님 오실 때까지 이 사역들을 계속할 것입니다.

차례

이렇게 활용해 보세요!

단원 개요 ① '가스펠 프로젝트(하나님의 구원 계획)'의 연대기적 큰 흐름 속에서 각 단원과 각 과의 주제를 살펴봅니다.

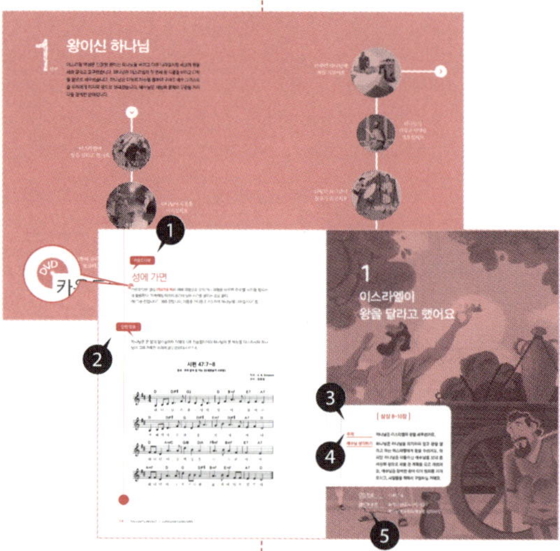

1 **카운트다운 :** 단원별로 제공되는 3분 카운트다운 영상으로, 장소를 옮기거나 시간을 구분 짓는 방법으로 활용할 수 있습니다.

2 **단원 암송 :** 단원의 핵심 메시지가 담긴 성경 구절입니다. 연령에 맞게 적절한 길이로 암기할 수 있도록 주요 어휘에 밑줄 표시를 해 두었습니다.

3 **주제 :** 각 과의 핵심 줄거리를 파악할 수 있습니다.

4 **예수님 생각하기 :** 성경 이야기에 담긴 복음을 발견하게 합니다. 모든 성경 이야기는 그리스도와 연결됩니다.

5 **성경의 초점 :** 본문과 관련된 성경의 중심 주제를 문답 형식으로 정리한 문장입니다. 단원별로 제시된 성경의 초점을 익히며 성경의 흐름을 이해하게 합니다.

＊지도자용 팩의 PC 전용 DVD-Rom에 영상, 그림, 음원, 악보, PPT 등의 자료가 있습니다.

말씀 묵상 ② 말씀을 묵상하며 교육 목표를 확인하고, 기도로 준비합니다.

1 **본문 속으로 :** 각 과를 준비하며 묵상할 내용과 티칭 포인트를 제시합니다. 청장년용 《가스펠 프로젝트》로 교사 소그룹 모임에서 더 깊은 묵상을 나누며 성경 읽기를 병행할 것을 권유합니다. 부모 소그룹 모임은 교회와 가정을 연계해 교육 효과를 더욱 높여 줄 것입니다.

2 **QR 코드 :** 가스펠 프로젝트 홈페이지(gospelprojet.co.kr)에서 각 과별 교사 지도 가이드 동영상을 무료로 이용할 수 있습니다.

3 **이야기 성경 :** '가스펠 설교'에서 사용하는 구어체 설교입니다. 같은 내용의 영상이 지도자용 팩에 있습니다.

가스펠 준비 **3** 사전 활동을 살펴봅니다.

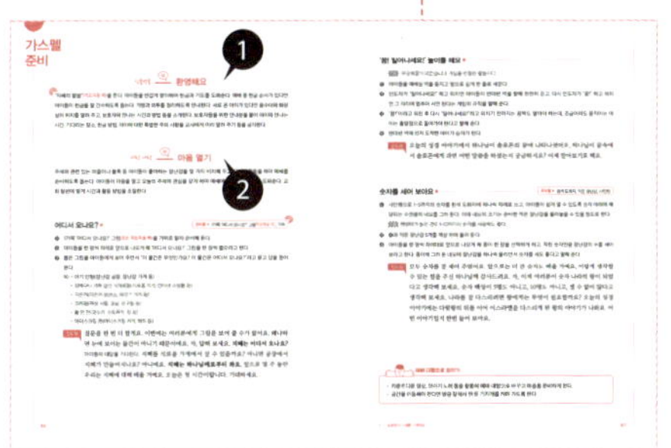

1 싱글벙글 환영해요 : 아이들을 맞이할 때 염두에 두어야 할 정보를 담았습니다.

2 너랑 나랑 마음 열기 : 이 과의 주제와 연결된 간단한 게임 활동을 소개합니다.

가스펠 설교 **4** 들어가기 – 성경 이야기 – 메시지와 정리 – 성경의 초점 – 복음 초청 – 기도 – 암송송에 이르는 설교 가이드입니다.

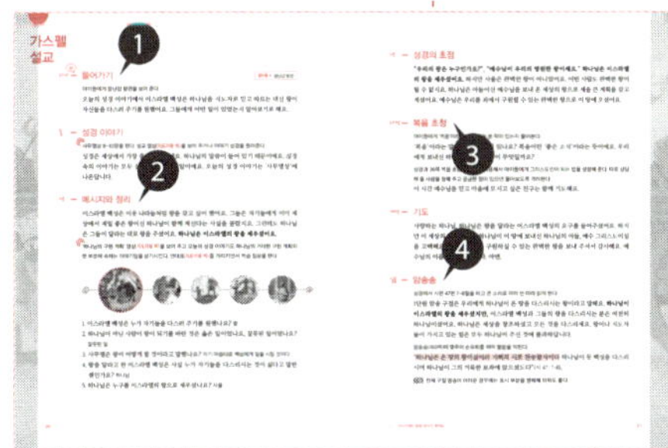

1 들어가기 : 도입 아이디어를 소개합니다.

2 메시지와 정리 : 각 과의 성경 이야기를 정리하고 연대표를 이용해 '가스펠 프로젝트(하나님의 구원 계획)'의 큰 흐름 속에서 이 과의 위치를 파악해 봅니다.

3 복음 초청 : 매주 복음을 전하고 영접 기도로 이끌 수 있는 초청 대화를 담았습니다.

4 암송송 : 단원의 핵심 메시지가 담긴 성경 구절을 쉽게 익힐 수 있도록 찬양과 손유희를 소개합니다.

가스펠 소그룹 **5** 말씀 놀이 – 간식 – 마무리 순서로 진행되는 소그룹 가이드입니다.

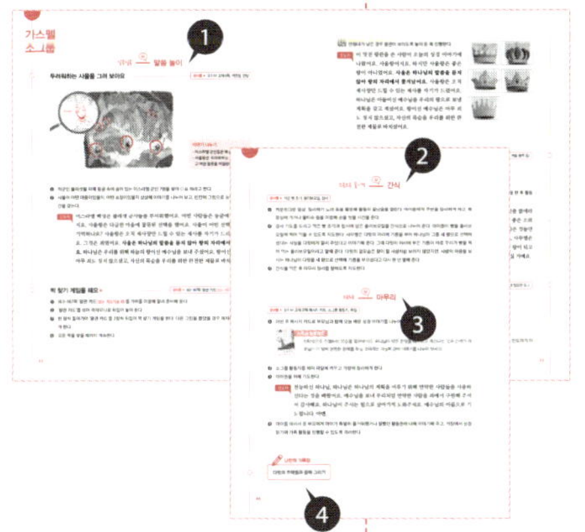

1 알콩달콩 말씀 놀이 : 성경 이야기에서 배운 내용들을 되새기며 즐겁게 놀이할 수 있는 다양한 활동을 소개합니다. 매 과의 첫 번째 활동에는 유치부 교재를 풍성하게 활용할 수 있는 교수 방법이 담겨 있습니다.

2 소곤소곤 꿀~꺽 간식 : 각 과에 어울리는 간식과 효과적인 간식 지도 방법을 소개합니다.

3 오순도순 마무리 : 메시지 카드(각 과의 핵심 내용과 가족과 함께하는 활동을 담은 카드)를 나누어 주고, 아이들이 활동한 자료를 파일에 정리한 후 기도로 마무리하는 과정을 안내합니다.

4 나만의 기록장 : 한 과를 정리하며 나 자신을 돌아보게 하는 활동입니다. 시간 여건에 맞게 활용할 수 있습니다.

발간사

이형기

두란노서원 원장

두란노서원을 통해 라이프웨이(LifeWay)의《가스펠 프로젝트》성경 공부 교재 시리즈를 발간할 수 있도록 인도하신 하나님께 감사드립니다. 험한 소리로 가득한 세상에 이 책을 디딤돌처럼 놓습니다. 우리 삶은 말씀을 만난 소리로 풍성해져야 합니다. 주님을 만난 기쁨의 소리, 진실 앞에서 탄식하는 소리, 죄를 씻는 울음소리, 소망을 품은 기도 소리로 가득해야 합니다.

《가스펠 프로젝트》는 신구약을 관통하는 예수 그리스도의 복음을 발견하고, 그 가르침을 삶에 적용하는 지혜를 얻도록 기획한 성경 공부 교재입니다. 어린아이부터 어른에 이르기까지 생애주기에 따른 복음 메시지를 잘 배울 수 있습니다. 또한, 거짓 진리가 미혹하는 이 시대에 건강한 신학과 바른 교리로 말씀을 조명하여 성도의 신앙이 좌로나 우로나 치우치지 않도록 돕습니다.

두란노서원은 지금까지 "오직 성경, 복음 중심, 초교파적 관점"을 바탕으로 한국 교회와 성도를 꾸준히 섬겨 왔습니다. 오직 성경의 정신에 입각해 책과 잡지를 출판해 왔으며, 성경에 근거한 복음 중심의 신학을 포기한 적이 없습니다. 그리고 교단과 교파를 초월하여 교회와 성도가 하나님 나라를 바라볼 수 있도록 돕기 위해 노력해 왔습니다.《가스펠 프로젝트》는 두란노가 지켜 온 세 가지 가치를 충실하게 담은 책입니다.

성경은 구원을 위한 책이며, 구원사의 주인공은 예수 그리스도입니다. 창세기부터 요한계시록까지 오직 예수 그리스도의 복음만을 전하는《가스펠 프로젝트》성경 공부 교재를 통해 복음의 은혜와 진리를 깊이 경험하고, 복음 중심의 삶이 마음 판에 새겨지기를 바랍니다. 그리고 예수 그리스도 복음에 굳게 선 한 사람의 영향력이 가정과 교회와 사회에 흘러감으로써 거룩한 하나님 나라가 확산되어 가기를 소망합니다.

감수사

김병훈

합동신학대학원대학교
조직신학 교수

두란노가 출간하는《가스펠 프로젝트》는 무엇보다도 전통적으로 교회가 풀어 온 흐름을 충실히 따라 성경을 해설하고 있습니다. 그리고 그 방향은 궁극적으로 예수 그리스도를 향해 나아가고 있습니다. 이것은 예수님이 구약과 신약의 모든 성경이 자신을 가리키고 있다고 하신 말씀에 비추어 매우 타당한 것입니다. 게다가 그리스도 중심적 해설을 무리하게 전개하지 않습니다. 각 본문에서 하나님의 구원 언약과 그것을 실현하시는 하나님을 드러내면서, 그리스도의 예표적 설명이 가능한 사건을 놓치지 않고 풀어내고 있습니다.

성경 공부 교재는 명시적으로 혹은 암시적으로 제시하는 교리적 진술이 교리 체계상 건전해야 합니다.《가스펠 프로젝트》는 99개 조에 이르는 핵심 교리를 일목요연하게 제시하여 교리의 건전성을 확인할 수 있도록 도움을 줍니다.《가스펠 프로젝트》의 교리는 교파를 막론하고, 예수 그리스도의 복음에 충실한 복음주의 교회들에게 환영받을 만합니다. 물론 교파마다 약간의 이견을 갖는 부분들이 있을 수 있겠지만, 각 교회에서 교재를 활용하는 데에 무리가 없을 것입니다.《가스펠 프로젝트》의 특징은 각 과에서 학습한 내용을 핵심 교리와 연결해 주며, 그 결과 그리스도의 복음에 관련한 교리적 이해를 강화시킨다는 데에 있습니다.

끝으로《가스펠 프로젝트》는 어떤 성경 주해서나 교리 학습서가 갖지 못하는 훌륭한 장점을 가지고 있습니다. 그것은 학습자를 하나님과 그리스도의 복음 앞으로 이끌며, 자신의 신앙과 삶을 돌아보도록 하는 적용의 적실성과 훈련의 효과입니다. 아울러 본문과 관련한 교회사적으로 또 주석적으로 중요한 신학자와 목사의 어록을 제시하고, 심화 토론을 위한 질문을 달아 주고, 선교적 안목을 열어 주는 적용 질문들을 더해 준 것은《가스펠 프로젝트》에서 얻을 수 있는 커다란 유익입니다.

추천할 만한 마땅한 성경 공부 교재를 찾기가 쉽지 않은 현실에서《가스펠 프로젝트》는 성경을 개괄적으로 매주 한 과씩 3년의 기간 동안 일목요연하게, 그리고 그리스도 중심적으로 공부하도록 이끌어 준다는 점에서, 한국 교회의 기초를 성경 위에 놓는 일에 커다란 공헌을 할 것으로 믿어 의심치 않습니다.

이희성

총신대학교
신학대학원
구약학 교수

"보라 날이 이를지라 내가 기근을 땅에 보내리니 양식이 없어 주림이 아니며 물이 없어 갈함이 아니요 여호와의 말씀을 듣지 못한 기갈이라"(암 8:11). 주전 8세기 아모스 선지자의 외침이 오늘 이 시대에 다시 메아리쳐 오고 있습니다. 두란노의 《가스펠 프로젝트》는 성도들이 겪고 있는 영적인 갈증과 혼란을 해소해 줄 수 있는 유익한 성경 공부 교재입니다.

첫째, 《가스펠 프로젝트》는 성경 전체 흐름과 문맥에 따라 구성되어 성경의 큰 그림을 볼 수 있도록 도와줍니다. 또 성경 각 본문의 의미를 깊이 이해할 수 있도록 해당 분야의 전문 성경 신학자들의 주석적 견해를 잘 소개하고 있습니다. 둘째, 본문 연구와 함께 관련 핵심 교리를 적절하게 소개하여 성경과 교리를 연결할 수 있습니다. 또 모든 세션에서 그리스도와의 연결점을 찾아 제시함으로써 구약 본문을 통해서도 복음을 깨달을 수 있습니다. 성경 공부 전 과정을 마치면 성도들이 복음에 대한 견고한 믿음을 가지게 될 것입니다. 셋째, 성경 공부 적용의 초점을 선교에 맞추어 성도들이 삶의 현장에서 복음의 증인으로서의 사명을 감당할 수 있게 도와줍니다. 마지막으로, 주일학교에서 장년에 이르기까지 동일한 주제와 본문으로 성경을 공부하도록 구성하였기 때문에 모든 교인이 한 말씀 안에서 한 믿음의 공동체를 이루며 성숙해 가는 영적 부흥을 경험하게 될 것입니다.

두란노의 《가스펠 프로젝트》를 통해 말씀이 갈급한 기근의 시대에 영적 해갈의 기쁨을 경험하시기 바랍니다.

정희영

총신대학교
유아교육과 교수

《가스펠 프로젝트》 유치부 교재는 유아의 특성에 맞게 그림과 활동으로 구성되어 있으며, '이야기 나누기'를 통해 성경 이야기를 복습함으로써 성경에 대한 이해와 기억을 돕고 있습니다. 교사용 교재는 교사가 성경 이야기를 쉽게 설명할 수 있도록 '가스펠 준비', '가스펠 설교', '가스펠 소그룹'의 단계로 나누어 진행 방법을 소개하고 있습니다. 특별히 성경 이야기를 나누기 전에 '본문 속으로'를 통해 교사들이 아이들에게 가르쳐야 하는 성경의 내용을 이해하고 숙지하도록 중요한 부분을 설명해 주고, '티칭 포인트'에서 다시 한 번 핵심이 무엇인지 강조해 줍니다. 또한 홈페이지에서 '교사 지도 가이드' 영상을 제공하여 영상 세대 교사

들이 쉽고 친근한 자료로 교사 교육의 시공간적 한계를 극복하도록 도움을 주고 있습니다.

이러한 교재의 구성은 유아의 발달 특징을 잘 고려한 것이며, 성경을 잘 모르는 교사들도 성경 이야기를 왜곡되지 않게 잘 이해해 아이들에게 효율적으로 나눌 수 있게 했다는 특징을 지닙니다. 이는 다른 성경 공부 교재들과 차별되는 특징으로서《가스펠 프로젝트》가 좋은 성경 공부 교재임을 보여 줍니다.

《가스펠 프로젝트》의 내용 가운데 구약은 창세기부터 시작해 말라기에 이르기까지의 내용을 "위대한 시작", "하나님의 구출 계획", "약속의 땅", "왕국의 설립", "선지자와 왕", "돌아온 하나님의 백성" 등으로 나누어 다루고 있습니다. 대부분의 유치부 성경 공부 교재가 구약의 사건을 이야기 중심으로 가르치는 반면,《가스펠 프로젝트》는 사건의 흐름에 맞추어 성경의 핵심 교리를 가르치되 유아의 발달 상황을 고려해 구성했습니다. 유아들에게 교리는 어렵다는 생각에서 탈피해 그들의 영성을 고려해 내용을 구성한 점은《가스펠 프로젝트》의 장점이라고 할 수 있습니다.

《가스펠 프로젝트》의 또 다른 장점은 '가스펠 설교'를 마무리할 때 예수 그리스도께 초점을 맞추고 있다는 점입니다. 구약은 오실 예수 그리스도에 대한 예표요, 신약은 오신 예수 그리스도에 대한 사건을 기록하고 있다는 점에서 예수 그리스도께서 성경의 주인이심을 잘 표현하고 있습니다.

현재 우리나라의 출산율은 OECD 국가 가운데 최하위를 차지하고 있으며, 교회의 주일학교는 반 이상이 줄어든 상황입니다. 이러한 위기 속에서 언약 백성으로 다음 세대를 잘 양육해야 할 책임이 있는 교회와 그리스도인 부모, 교사들에게《가스펠 프로젝트》는 이 시대에 부응하는 효율적이며 영향력 있는 좋은 성경 공부 교재가 될 것입니다.

《가스펠 프로젝트》는 한 영혼, 한 영혼을 향한 하나님의 멈추지 않는 사랑을 전하며, 아들을 내어 주신 아버지 하나님의 놀라운 구원 계획에 눈뜨게 하는 교재입니다. 성경을 꿰뚫는 변함없는 메시지, 예수 그리스도를 만날 수 있는 교재입니다. 유익한 활동과 흥미로운 반복 학습을 통해 기독교 핵심 주제를 접하고, 말씀을 가까이하며 가족과 묵상을 나누도록 이끄는 방식에 기대가 큽니다. 다양한 소재의 동영상과 그림 자료는 시청각 자료가 부족한 교육 현장에 큰 활력을 불어넣어 줄 것입니다. 교재 내용에 맞게 창작된 찬양은 곡조가 있는 산 기도를 체험하게 도와줄 것입니다. 무미건조한 습관적 예배, 아이들과 소통하지 못해 안타까워했던 부모와 교사, 다음 세대를 걱정하는 교회 지도자들에게 이 교재를 추천합니다.

김요셉 _ 중앙기독학교 교목, 원천침례교회 목사

추천사

우리 시대의 전 세계적 교회 부흥은 두 가지 샘을 갖고 있습니다. 한 샘은 오순절 부흥 운동의 샘입니다. 이 샘으로 많은 시대의 목마른 영혼들이 목마름을 해갈했습니다. 또 하나의 샘은 성경 연구의 샘입니다. 남침례교 주일학교 운동은 이 샘의 개척자입니다. 이 샘으로 지금도 많은 성도가 목마름을 해갈하고 있습니다. 미국 남침례교 라이프웨이 출판사는 이러한 사역을 충실히 감당해 왔습니다.《가스펠 프로젝트》는 모든 필요를 공급하는 원천이 될 것입니다.《가스펠 프로젝트》는 쉬우면서도 결코 피상적이지 않습니다. 믿음의 단계를 따라 하나님의 자녀들에게 꼭 필요한 복음의 진수를 맛보게 해 줄 것입니다.

이동원 _ 지구촌교회 원로 목사, 지구촌 미니스트리 네트워크 대표

《가스펠 프로젝트》는 예수 그리스도를 중심으로 성경을 배웁니다. 성경이 어떻게 그리스도와 연결되어 있는지, 또 성도의 삶이 하나님의 구원 계획에 어떻게 연결되어야 하는지 구체적으로 제시합니다. 특히 《가스펠 프로젝트》는 하나의 본문으로 각 연령에 맞게 구성한 교재를 제공하여 하나의 본문으로 전 세대를 연결하고, 가정과 교회를 하나 되게 합니다. 신앙의 전수가 중요한 시대에 성도와 교회와 가정이 한마음으로 다음 세대를 준비시키기에 적합합니다. 특히 가정에서 부모가 자녀와 말씀으로 대화를 나눌 수 있게 하여 자녀 신앙 교육에 도움이 될 것입니다.

이재훈 _ 온누리교회 담임 목사

✝ 　　　하나님의 말씀과 복음은 생명을 살리고 힘 있게 하는 능력이 있습니다. 그래서 사역 현장에서는 그것을 효율적으로 전해 주고 가르칠 수 있는 좋은 방법과 교재에 늘 목말라합니다. 그런 점에서 연령대에 맞게 체계적으로 준비되어 사역 현장의 필요를 잘 충족해 줄 수 있는 교재가 출간되어 기쁩니다. 사역 현장에서 유용하게 활용되어 복음의 생명력과 역동성을 누리게 되기를 기대하며 추천합니다.

김운용 _ 장로회신학대학교 실천신학 교수

✝ 　　　《가스펠 프로젝트》 유치부 교재는 유아에게 성경을 좀 더 효과적으로 가르칠 수 있도록 돕는 교재입니다. 성경 전체에서 끊임없이 말하고 있는 '예수 그리스도'를 유아기에 꼭 맞는 교수 방법으로 소개해 유아에게 예수님과의 행복한 만남을 선물할 것입니다. 또한 《가스펠 프로젝트》는 가정과의 연계 교육이 매우 중요한 유아기에 부모와 긴밀하게 상호 작용할 수 있도록 구성되어 있습니다. 전 연령에 맞는 교재가 구비되어 있기 때문에 모든 가족, 더 나아가 모든 교회의 구성원이 같은 말씀으로 대화를 나눌 수 있습니다. 이 교재를 통해 다음 세대가 인생에 꼭 필요한 '예수 그리스도의 복음'의 토대 위에서 은혜 안에 자라 가기를 바랍니다.

이영희 _ 카도쉬비전센터 이스라엘교육연구원 대표,《토라 태교》저자

✝ 　　　두란노서원은 오랫동안 어린이용 성경 큐티 자료집의 발간을 통해 어린이들이 가정에서 부모와 함께 성경을 읽고 묵상할 수 있는 주요한 사역을 감당해 왔습니다. 이제 두란노서원의 《가스펠 프로젝트》의 발간으로 아이들이 교회에서는 교회학교 교사와, 가정에서는 부모와 성경을 공부해 복음적 삶의 변화를 가져올 수 있게 됨을 축하합니다. 《가스펠 프로젝트》는 교회학교 교사가 아이들에게 말씀을 효과적으로 가르칠 수 있는 교수 매체로서, 아이들과 함께 다양한 놀이 및 활동을 할 수 있도록 안내합니다. 유치부가 사용할 교재의 삽화는 성경의 주요 본문에 가까워 성경의 본문 내용을 이해하도록 하는 데 도움을 줍니다. 또한 활동 자료는 아이들의 발달 수준에 적절합니다. 《가스펠 프로젝트》를 사용하는 교회학교 교사, 부모, 아이들이 예수 그리스도를 배우고 본받아 하나님이 주신 사명을 실천할 수 있기를 바랍니다.

장화선 _ 안양대학교 기독교교육과 교수

왕이신 하나님

이스라엘 백성은 진정한 왕이신 하나님을 버리고 다른 나라들처럼 세상의 왕을 세워 달라고 요구했습니다. 하나님은 이스라엘의 첫 번째 왕 사울을 버리고 다윗을 왕으로 세우셨습니다. 하나님은 다윗의 자손을 통하여 구세주 예수 그리스도를 우리에게 마지막 왕으로 보내셨습니다. 예수님은 세상에 평화와 구원을 가져다줄 완벽한 왕이십니다.

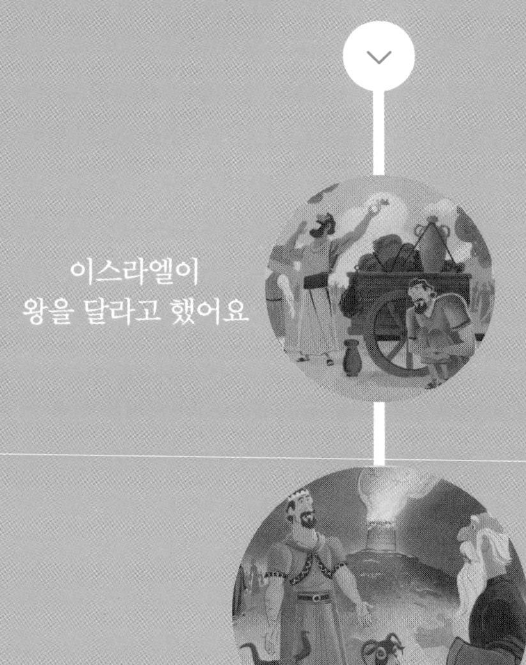

이스라엘이
왕을 달라고 했어요

하나님이 사울을
버리셨어요

다윗이 골리앗과
맞섰어요

다윗이 하나님께
죄를 지었어요

하나님이
다윗과 언약을
맺으셨어요

다윗과 요나단이
친구가 되었어요

성에 가면

카운트다운 영상(지도자용 팩)은 예배 대형으로 모이거나 대형을 바꾸며 준비할 시간을 알리는
데 활용한다. 익숙해질 때까지 중간에 남은 시간을 알리는 것도 좋다.
예) "1분 전입니다", "30초 전입니다. 마음을 가다듬고 기도하며 하나님께 나아갑시다" 등.

하나님은 온 땅의 왕이심이라 지혜의 시로 찬송할지어다 하나님이 뭇 백성을 다스리시며 하나
님이 그의 거룩한 보좌에 앉으셨도다(시 47:7~8).

시편 47:7~8

원곡 : 주와 같이 길 가는 것(새찬송가 430장)

작곡 : A. B. Simpson
편곡 : 김효정

1

이스라엘이
왕을 달라고 했어요

주제	하나님은 이스라엘의 왕을 세우셨어요.
예수님 생각하기	하나님은 하나님을 의지하지 않고 왕을 달라고 하는 이스라엘에게 왕을 주셨어요. 하지만 하나님은 아들이신 예수님을 보내 온 세상의 왕으로 세울 큰 계획을 갖고 계셨어요. 예수님은 완벽한 왕이 되어 평화를 가져오시고, 사람들을 죄에서 구원하실 거예요.
단원 암송	시 47:7~8
성경의 초점	우리의 왕은 누구인가요? 예수님이 우리의 영원한 왕이세요.

이스라엘의 사사로 일생을 바친 사무엘이 나이가 들어 늙었습니다. 사무엘이 사사로 세운 그의 두 아들 요엘과 아비야는 아버지처럼 살지 않았습니다. 두 아들은 부당한 이득을 따라 뇌물을 받고 옳지 않은 판결을 내렸습니다. 그들은 하나님을 거역했으며 이스라엘에 많은 문제를 일으켰습니다.

그전까지 이스라엘은 하나님이 그들을 인도할 사사를 보내 주실 것이라고 믿었습니다. 그러나 이제 이스라엘의 장로들은 사무엘의 아들들의 잘못을 지적하며 왕을 세워 달라고 요구했습니다. 그들은 주변 모든 나라에 왕이 있다는 사실을 강조했습니다. 그들의 요구에 마음이 언짢았던 사무엘은 이 일을 두고 하나님께 기도했습니다.

하나님이 이렇게 대답하셨습니다. "백성이 네게 한 말을 다 들으라 이는 그들이 너를 버림이 아니요 나를 버려 자기들의 왕이 되지 못하게 함이니라"(삼상 8:7). 하나님은 이스라엘이 이집트의 노예 생활에서 구원받은 이후 하나님을 버리고 다른 신들을 섬기는 일을 반복해 왔다는 사실에 주목하셨습니다. 그리고 하나님은 이스라엘에 왕을 세우면 어떤 일들이 벌어질지 분명하게 경고하라고 사무엘에게 말씀하셨습니다.

사무엘은 이스라엘 백성에게 왕이 어떤 권한을 갖게 될지 설명해 주었습니다. 훗날 그들이 왕을 요구한 것을 후회하게 될 지라도 하나님이 그들을 돕지 않으실 것이라고 경고했습니다. 그런데도 백성은 여전히 왕을 원했고, 하나님은 사무엘에게 왕을 세우라고 말씀하셨습니다.

하나님은 사울을 이스라엘의 왕으로 정하셨고, 사무엘은 그런 하나님의 계획을 사울에게 알려 주었습니다. 사무엘은 사울의 머리에 기름을 부었습니다. 이후 사무엘은 백성을 미스바로 불러 여호와 앞에 모았습니다. 그는 그들에게 하나님의 말씀을 전한 후 모든 지파 사이에서 사울을 뽑아 하나님이 그를 이스라엘의 왕으로 세우셨다고 말했습니다. 그러자 백성은 "우리 왕 만세!"라고 외치며 기뻐했습니다.

●● 티칭 포인트

하나님은 이스라엘이 왕을 세우고 싶어 할 것을 알고 계셨습니다. 그런데 이스라엘은 그들에게 진정으로 필요한 왕을 원하지 않았습니다. 이웃 나라 왕 같은 세상의 왕을 원했습니다. 아이들에게 모든 인간의 왕은 결국 실망스러울 수밖에 없다는 점을 이해시켜 주십시오. 하나님은 이스라엘 백성에게 완전한 하나님이시며 완전한 인간이신 예수님을 선물로 주실 계획을 갖고 계셨습니다. 예수님은 정의와 공평으로 영원히 다스리시는 완벽한 왕이십니다(사 9:6~7).

이스라엘이 왕을 달라고 했어요

삼상 8~10장

사무엘은 이스라엘의 사사였어요. 사사는 하나님의 백성을 이끌며 중요한 결정을 내리는 사람이었지요. 사무엘은 이제 나이가 많이 들었어요. 사무엘의 아들들이 이스라엘의 지도자가 될 차례였어요. 그러나 그들은 사무엘처럼 좋은 사사가 아니었어요. 그들은 공평하지 않았고, 자기 이익을 위해 거짓말도 했어요.

이스라엘 장로들이 사무엘을 찾아가서 말했어요. "당신은 좋은 사사였습니다. 그러나 당신의 아들들은 당신처럼 살지 않습니다. 그들은 우리의 지도자가 될 수 없으니 이웃 나라들처럼 우리에게도 왕을 세워 주세요!"

이스라엘 백성의 요구에 마음이 상한 사무엘은 하나님께 기도했어요. 하나님은 이렇게 말씀하셨어요. "사무엘아, 왕을 달라는 백성의 말을 들어주어라. 속상해하지 마라. 그들은 너를 싫어하는 것이 아니라 나를 싫어하는 것이다."

사무엘은 하나님이 말씀하신 대로 백성에게 왕이 생기면 무슨 일이 일어날지를 알려 주었어요. 무조건 왕이 시키는 대로 따라야 할 것이라고 경고했지요. 왕은 그들의 아들들을 데려가 군인으로 삼을 것이고, 그들의 딸들을 데려가 일을 시킬 거예요. 또한 왕은 그들의 땅과 종을 빼앗을 수도 있어요. 그래도 백성은 사무엘의 말을 듣지 않고 떼를 썼어요. "우리에게도 왕을 주세요!"

한편 한 부자가 잃어버린 암나귀들을 찾고 있었어요. 그는 자기 아들 사울에게 말했어요. "종을 데리고 가서 암나귀들을 찾아오너라." 사울은 종과 함께 여러 곳을 다녔지만 나귀를 찾지 못했어요. 그만 포기하고 집으로 돌아가려고 할 때 종이 말했어요. "하나님의 사람에게 가 보시지요. 혹시 그분이라면 나귀가 어디 있는지 아실지도 몰라요."

사울과 종은 하나님의 사람을 찾아 성안으로 들어갔어요. 그 사람은 사무엘이었어요! 사무엘은 이렇게 말했어요. "나귀 걱정은 하지 마십시오. 이미 찾아 놓았습니다." 그리고는 그들을 저녁 식사에 초대했어요.

다음 날 아침, 사무엘은 사울에게 "하나님이 당신을 이스라엘의 왕으로 삼으셨습니다"라고 말했어요. 사울은 깜짝 놀랐어요. 왜냐하면 자기는 이스라엘 지파 중 가장 작은 베냐민 지파 사람이었기 때문이에요. 사무엘은 사울의 머리에 기름을 부은 후 몇 가지 일을 일러 준 다음 집으로 돌려보냈어요. 하나님의 영이 사울과 함께하셨어요.

얼마 후, 사무엘은 이스라엘 백성을 불러 모아 사울을 새 왕으로 뽑았어요. 그런데 사울이 보이지 않았어요. 하나님은 "사울이 짐짝 사이에 숨어 있다"라고 말씀하셨어요. 백성은 달려가 사울을 데려왔고, 사울은 사람들 사이에 섰어요. 사무엘은 하나님이 그를 이스라엘의 왕으로 세우셨다고 말했어요. 이스라엘 백성은 "우리 왕 만세!" 하고 외치며 기뻐했어요.

하나님은 하나님을 의지하지 않고 왕을 달라고 하는 이스라엘에게 왕을 주셨어요. 하지만 하나님은 아들이신 예수님을 보내 온 세상의 왕으로 세울 큰 계획을 갖고 계셨어요. 예수님은 완벽한 왕이 되어 평화를 가져오시고, 사람들을 죄에서 구원하실 거예요.

가스펠 준비

싱글벙글 환영해요

"우리의 왕"(지도자용 팩)을 튼다. 아이들을 반갑게 맞이하며 헌금과 기도를 도와준다. 예배 중 헌금 순서가 있다면 아이들이 헌금을 잘 간수하도록 돕는다. 가방과 외투를 정리하도록 안내한다. 새로 온 아이가 있다면 음수대와 화장실의 위치를 알려 주고, 보호자와 만나는 시간과 방법 등을 소개한다. 보호자들을 위한 안내문을 붙여 아이와 만나는 시간, 기다리는 장소, 헌금 방법, 아이에 대한 특별한 주의 사항을 교사에게 미리 알려 주기 등을 공지한다.

너랑 나랑 마음 열기

주제와 관련 있는 퍼즐이나 블록 등 아이들이 좋아하는 장난감을 몇 가지 비치해 두고 다양한 활동을 하며 예배를 준비하거나 예배 장소 및 친구들과 익숙해지도록 돕는다. 아이들이 마음을 열고 오늘의 주제에 관심을 갖게 하며 예배에 집중할 수 있도록 도와준다. 교회 형편에 맞게 시간과 활동 방법을 조절한다.

거울에 왕관을 그려요 *

❶ 안전 손거울에 다양한 색깔의 보드마커를 이용해 왕관을 그리고 꾸며 보게 한다.

❷ 거울로 자기 얼굴을 비추며 왕관을 쓴 것처럼 보이도록 조정해 보라고 한다.

tip 연령대가 낮은 경우 교사가 왕관을 그려 주고 꾸미는 활동을 하게 해도 좋다.

인도자 왕과 여왕은 왕관을 써요. 이스라엘 백성은 이웃 나라들처럼 자기들을 다스리는 왕이 있으면 좋겠다고 생각했어요. 왜 그랬을까요? 하나님이 그들에게 왕을 세워 주셨는지도 궁금하네요. 오늘의 성경 이야기를 다 함께 살펴보아요.

왕의 명령이다! ✱

`tip` '가라사대' 게임을 변형한 활동이다.

❶ 인도자는 '왕'이 되고, 아이들에게는 '백성'의 역할을 맡긴다.

❷ '왕'이 "왕의 명령이다!"라는 말을 붙인 후 명령하면 명령에 따라야 하고, 붙이지 않고 명령하면 명령에 따라서는 안 된다는 게임의 규칙을 설명해 준다.

❸ 인도자는 따르기 어려운 명령을 내려 명령을 따르는 것이 쉬운 일이 아님을 아이들이 깨닫게 한다.
예) "한 발로 서서 찬양을 불러라!", "간지럼을 참아라!" 등.

> **인도자** '왕'이 "왕의 명령이다!"라고 말하면 여러분은 무슨 명령이든 그대로 따라야 했어요. 오늘의 성경 이야기에서 이스라엘 백성은 자신들을 인도할 왕을 세워 달라고 했어요. 사무엘은 백성에게 왕이 생기면 어떻게 될지 말해 주었어요. 이스라엘 백성은 그래도 왕을 달라고 했을까요? 그들이 과연 어떻게 대답했을지 알아보기로 해요.

암나귀를 찾아 보세요 ✱

준비물 ▶ '암나귀' 그림(지도자용 팩)

❶ '암나귀' 그림(지도자용 팩)을 여러 장 프린트해 예배실 곳곳에 숨겨 둔다.

❷ 아이들에게 숨겨 놓은 '암나귀'들을 찾아오라고 한다.

❸ 아이들이 '암나귀'들을 모두 찾으면 자원하는 아이에게 '암나귀'들을 숨겨 보라고 한 뒤 활동을 반복한다. '암나귀'들을 숨기는 동안 나머지 아이들은 앞을 향해 앉은 뒤, 손으로 귀를 막고, 고개를 바닥에 닿게 한 채 엎드려 있도록 지도한다.

> **인도자** 사울과 그의 종은 사무엘을 찾아가 잃어버린 암나귀들이 어디 있는지 물었어요. 사무엘은 암나귀들을 이미 찾았으며, 사울에게는 그보다 더 중요한 소식이 있다고 말했어요. 하나님이 사울을 선택해 이스라엘의 왕으로 세우셨다는 소식이었지요.

예배 대형으로 모이기

- 카운트다운 영상, 모이기 노래 등을 활용해 예배 대형으로 바꾸고 마음을 준비하게 한다.
- 공간을 이동해야 한다면 왕이 행차하는 모습을 흉내 내며 가도록 한다.

가스펠
설교

 들어가기

아이들에게 장난감 왕관을 보여 준다.

오늘의 성경 이야기에서 이스라엘 백성은 하나님을 지도자로 믿고 따르는 대신 왕이 자신들을 다스려 주기를 원했어요. 그들에게 어떤 일이 있었는지 알아보기로 해요.

둘 — 성경 이야기

사무엘상 8~10장을 편다. 설교 영상(지도자용 팩)을 보여 주거나 이야기 성경을 들려준다.

성경은 세상에서 가장 중요한 책이에요. 하나님의 말씀이 들어 있기 때문이에요. 성경 속의 이야기는 모두 실제로 일어났던 일이에요. 오늘의 성경 이야기는 '사무엘상'에 나온답니다.

셋 — 메시지와 정리

이스라엘 백성은 이웃 나라들처럼 왕을 갖고 싶어 했어요. 그들은 자기들에게 이미 세상에서 제일 좋은 왕이신 하나님이 함께 계신다는 사실을 몰랐지요. 그런데도 하나님은 그들이 달라는 대로 왕을 주셨어요. **하나님은 이스라엘의 왕을 세우셨어요.**

'하나님의 구원 계획' 영상(지도자용 팩)을 보여 주고 오늘의 성경 이야기도 하나님의 거대한 구원 계획의 한 부분에 속하는 이야기임을 상기시킨다. 연대표(지도자용 팩)를 가리키면서 복습 질문을 한다.

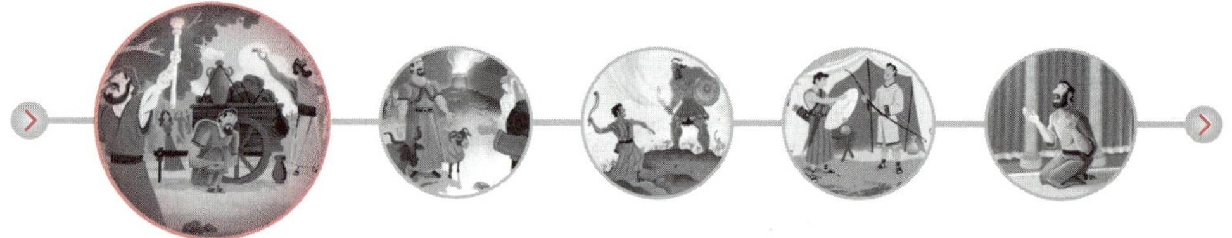

1. 이스라엘 백성은 누가 자기들을 다스려 주기를 원했나요? 왕
2. 하나님이 아닌 사람이 왕이 되기를 바란 것은 옳은 일이었나요, 잘못된 일이었나요? 잘못된 일
3. 사무엘은 왕이 어떻게 할 것이라고 말했나요? 자기 마음대로 백성에게 일을 시킬 것이다
4. 왕을 달라고 한 이스라엘 백성은 사실 누가 자기들을 다스리시는 것이 싫다고 말한 셈인가요? 하나님
5. 하나님은 누구를 이스라엘의 왕으로 세우셨나요? 사울

넷 — 성경의 초점

"우리의 왕은 누구인가요?", "예수님이 우리의 영원한 왕이세요." 하나님은 이스라엘의 왕을 세우셨어요. 하지만 사울은 완벽한 왕이 아니었어요. 어떤 사람도 완벽한 왕이 될 수 없지요. 하나님은 아들이신 예수님을 보내 온 세상의 왕으로 세울 큰 계획을 갖고 계셨어요. 예수님은 우리를 죄에서 구원할 수 있는 완벽한 왕으로 이 땅에 오셨어요.

다섯 — 복음 초청

아이들에게 '복음'이라는 말을 들어 본 적이 있는지 물어본다.

'복음'이라는 말을 들어 본 적이 있나요? 복음이란 '좋은 소식'이라는 뜻이에요. 우리에게 보내신 하나님의 좋은 소식이 무엇일까요?

성경과 36쪽 복음 초청 가이드를 이용해서 아이들에게 그리스도인이 되는 법을 설명해 준다. 따로 상담해 줄 사람을 정해 주고 궁금한 점이 있으면 물어보도록 격려한다.

이 시간 예수님을 믿고 마음에 모시고 싶은 친구는 함께 기도해요.

여섯 — 기도

사랑하는 하나님, 하나님은 왕을 달라는 이스라엘 백성의 요구를 들어주셨어요. 하지만 이 세상의 진정한 왕은 하나님이 이 땅에 보내신 하나님의 아들, 예수 그리스도이심을 고백해요. 우리를 죄에서 구원하실 수 있는 완벽한 왕을 보내 주셔서 감사해요. 예수님의 이름으로 기도합니다. 아멘.

일곱 — 암송송

성경에서 시편 47편 7~8절을 펴고 큰 소리로 여러 번 따라 읽게 한다.

1단원 암송 구절은 우리에게 하나님이 온 땅을 다스리시는 왕이라고 말해요. **하나님이 이스라엘의 왕을 세우셨지만,** 이스라엘 백성과 그들의 왕을 다스리시는 분은 여전히 하나님이셨어요. 하나님은 세상을 창조하셨고 모든 것을 다스리세요. 왕이나 지도자들이 가지고 있는 힘은 모두 하나님이 주신 것에 불과하답니다.

암송송(160쪽)에 맞추어 손유희를 하며 말씀을 익힌다.

"하나님은 온 땅의 왕이심이라 지혜의 시로 찬송할지어다 하나님이 뭇 백성을 다스리시며 하나님이 그의 거룩한 보좌에 앉으셨도다"(시 47:7~8).

`tip` 전체 구절 암송이 어려운 경우에는 표시 부분을 발췌해 외워도 좋다.

가스펠
소그룹

왕관을 꾸며 보아요

이야기 나누기
- 이스라엘 백성은 왜 왕을 세워 달라고 했나요?
- 우리의 진정한 왕은 누구이신가요?

❶ 아이들에게 왕이 쓰는 멋진 왕관이라고 설명한 후 "우리의 진정한 왕은 누구이신가요?"라고 질문한다.

❷ 여러 가지 색깔의 색연필을 이용해 왕관을 꾸미고, 흐린 글씨를 따라 써 볼 수 있도록 지도한다.

❸ 아이들과 함께 "예수님은 우리 왕!"이라고 큰 소리로 외쳐 본다.

인도자 누가 왕관을 쓰지요? 왕이 왕관을 써요. 오랜 세월 동안 이스라엘은 하나님이 세우신 사사들을 통해 하나님의 다스리심을 받았어요. 하나님이 그들의 왕이셨지요. 그런데 이제 이스라엘 백성은 이웃 나라들처럼 왕을 세워 달라고 했어요. 하나님은 사무엘을 통해 이스라엘에 왕이 생기면 어떤 어려움이 생길지를 알려 주셨지만 백성은 들으려고 하지 않았지요. 그래서 **하나님은 이스라엘의 왕을 세우셨어요.** 사울을 첫 왕으로 선택하셨지요. 하지만 사람은 완벽한 왕이 될 수 없어요. 하나님은 아들이신 예수님을 보내 온 세상의 왕으로 세울 큰 계획을 갖고 계셨어요. 예수님은 완벽한 왕이 되어 이 땅에 평화를 가져오시고, 사람들을 죄에서 구원하실 거예요.

키 작은 왕을 찾아요 *

❶ 줄자를 이용해 아이들의 키를 재고 키가 가장 큰 아이부터 가장 작은 아이까지 순서대로 세운다.

❷ 키가 가장 작은 아이에게 '왕' 역할을 맡겨 친구들에게 명령을 내려 보게 한다.

tip 연령대가 높은 경우 줄자를 이용해 잰 키를 종이에 적은 후 숫자를 비교해 키가 가장 큰 아이부터 가장 작은 아이까지 순서대로 정렬해 보는 것도 좋다.

 하나님은 이스라엘의 왕을 세우셨어요. 우리는 키 작은 친구를 찾아 왕으로 세워 보았어요. 그런데 성경을 보면, 이스라엘의 첫 번째 왕으로 세워진 사울은 이스라엘의 그 누구보다 키가 컸다고 해요(삼상 9:2). 사울의 겉모습은 멋진 왕 같아 보였어요. 하지만 성경을 좀 더 읽어 보면, 사울은 완벽한 왕이 아니었다는 것을 알 수 있답니다. **우리의 왕은 누구인가요? 예수님이 우리의 영원한 왕이세요.**

똑같은 왕관을 모아요 *

❶ 163~167쪽 '왕관 카드'(또는 지도자용 팩)를 잘라 준비해 둔다.

❷ 아이들을 2팀으로 나눈다.

❸ '왕관 카드'를 골고루 섞은 후 한 팀씩 돌아가며 똑같은 왕관끼리 모아 보라고 하고 스톱워치로 시간을 잰다.

❹ 똑같은 왕관을 더 빨리 모두 모은 팀이 이긴다.

 이스라엘 백성은 왕을 달라고 했어요. 하나님은 사무엘을 통해 왕이 생기면 어떤 어려움이 생길지를 알려 주셨어요. 하지만 백성은 들으려고 하지 않았지요. **하나님은 이스라엘의 왕을 세우셨어요.** 하지만 사람은 완벽한 왕이 될 수 없어요. 하나님은 아들이신 예수님을 보내 온 세상의 왕으로 세울 큰 계획을 갖고 계셨어요. 예수님은 완벽한 왕이 되어 평화를 가져오시고, 사람들을 죄에서 구원하실 거예요.

소곤소곤 꿀~꺽  **간식**

❶ 카운트다운 영상, 정리하기 노래 등을 활용해 활동이 끝났음을 알린다. 아이들에게 주변을 정리하게 하고, 화장실에 가거나 물티슈 등을 이용해 손을 씻을 시간을 준다.

❷ 감사 기도를 드리고 고깔 모양의 과자와 과일 주스를 간식으로 나누어 준다. 고깔 모양의 과자가 '왕관'이라고 말해 주고, 다섯 손가락 하나하나에 '왕관'을 끼우면서 "나는 왕이다!"라고 말해 보라고 한다. 아이들이 활동하는 동안 하나님이 왕을 달라는 이스라엘 백성의 요구를 들으셔서 사울을 왕으로 세우셨다고 말해 준다.

❸ 간식을 먹은 후 마무리 정리를 잘하도록 지도한다.

오순도순  **마무리**

준비물 ▶ 유치부 교재 37쪽 메시지 카드, 펀치, 카드 고리, 소그룹 활동지, 파일

❶ 카드를 떼고 펀치로 구멍을 뚫어 고리로 연결하게 한다.

가족과 활동해요

- '가라사대' 게임을 함께 해 보세요. 이스라엘 백성은 왕을 세우면 그가 시키는 대로 해야만 했다고 이야기해 주세요.
- 인터넷으로 다른 나라의 왕 또는 대통령의 사진과 그들에 대한 평가를 살펴보세요. 아무리 좋은 지도자라도 잘못을 저지르기 마련이지만, 우리 예수님은 완벽한 왕이시라고 아이들에게 말해 주세요.

❷ 가방이나 지갑에 고리를 끼워 항상 휴대하면서 오늘 배운 성경 이야기를 수시로 기억하게 하고, 가족과도 함께 나눌 수 있도록 격려한다.

> tip 한 주에 한 장씩 나누어 주거나, 13과 메시지 카드를 모두 떼어 구약 4권 메시지 카드철을 만들어도 좋다.

❸ 소그룹 활동지를 떼어 파일에 끼우고 가방에 정리하게 한다.

❹ 아이들의 기도 제목을 물어보고 기도로 마무리한다.

> 인도자 하나님, 우리는 이스라엘 백성처럼 되기 싫어요. 하나님이 우리를 다스리실 때 하나님을 믿고 따르고 싶어요. 이 세상의 어떤 왕도 하나님이 우리에게 주신 왕이신 예수님과 비교할 수 없어요. 예수님은 우리를 죄에서 구원하셨어요. 예수님을 보내 주신 하나님, 사랑해요. 예수님의 이름으로 기도합니다. 아멘.

❺ 아이를 데리러 온 부모에게 아이가 특별히 즐거워했거나 잘했던 활동들에 대해 이야기해 주고, 가정에서 성경 읽기와 가족 활동을 진행할 수 있도록 격려한다.

 **나만의 기록장**

왕관을 쓰신 예수님 그리기

2

하나님이 사울을 버리셨어요

(삼상 13:1~14, 15:1~35)

주제	사울은 하나님의 말씀을 듣지 않아 왕의 자리에서 쫓겨났어요.
예수님 생각하기	하나님은 하나님께 순종하지 않은 사울을 왕의 자리에서 쫓아내셨어요. 하나님은 아들이신 예수님을 우리의 왕으로 보낼 계획을 갖고 계셨어요. 왕이신 예수님은 아무 죄도 짓지 않으셨고, 자신의 목숨을 우리를 위한 완전한 제물로 바치셨어요.
단원 암송	시 47:7~8
성경의 초점	우리의 왕은 누구인가요? 예수님이 우리의 영원한 왕이세요.

겉모습만 보면 사울은 왕이 되기에 좋은 조건을 가진 사람이었습니다. 키도 크고 용모도 수려했으며 하나님께 복도 받았습니다. 그러나 사울은 자신의 왕위가 하나님께로부터 왔다는 사실을 잊어버렸습니다. 사울은 하나님 앞에서 몇 가지 잘못을 저질렀고, 그 결과 왕위를 잃었습니다.

사무엘상 13장에서 사울은 제사장 없이 스스로 번제를 드리는 죄를 지었습니다. 당시 하나님께 제사를 드리는 것은 제사장만이 할 수 있는 일이었습니다. 사울은 이스라엘의 왕이었지만 제사장은 아니었습니다. 사무엘은 만약 사울이 하나님의 명령에 순종했다면 하나님이 사울의 나라를 영원히 세우셨을 것이라고 했습니다. 하지만 사울이 순종하지 않았기 때문에 하나님이 그의 마음에 맞는 사람을 구하여 백성의 지도자로 삼으셨다고 말했습니다(삼상 13:14).

사울은 아말렉과 전쟁을 치를 때에도 죄를 지었습니다. 하나님은 사울에게 "아말렉을 쳐서 그들의 모든 소유를 남기지 말고 진멸하되 남녀와 소아와 젖 먹는 아이와 우양과 낙타와 나귀를 죽이라"(삼상 15:3)라고 말씀하셨습니다. 아멜렉 사람들은 이스라엘의 원수였기 때문입니다(신 25:13~19 참조). 그러나 사울은 아말렉왕 아각을 살려 두었고, 가장 좋은 양과 기름진 소를 잡아 왔습니다. 자신이 생각하기에 가치 없고 하찮은 것들만 없애 버렸습니다. 사울은 사무엘에게 "내가 여호와의 명령을 행하였나이다"(삼상 15:13)라며 자랑스럽게 말했습니다. 사무엘은 살아 있는 양과 소의 울음 소리는 어찌 된 것인지 물었습니다. 사울은 자신이 하나님의 말씀에 순종했으며 하나님께 제사하기 위해 양과 소 중에서 가장 좋은 것을 남긴 것이라고 우겼습니다.

사무엘은 사울에게 하나님의 뜻을 전했습니다. "순종이 제사보다 낫고 듣는 것이 숫양의 기름보다 나으니 이는 거역하는 것은 점치는 죄와 같고 완고한 것은 사신 우상에게 절하는 죄와 같음이라 왕이 여호와의 말씀을 버렸으므로 여호와께서도 왕을 버려 왕이 되지 못하게 하셨나이다"(삼상 15:22~23).

집으로 돌아간 사무엘은 다시는 사울을 만나지 않았고, 하나님은 사울을 이스라엘의 왕으로 삼으신 것을 후회하셨습니다.

●● 티칭 포인트

사울과 같은 세상의 왕은 불완전하다는 것을 아이들이 이해할 수 있도록 도와주십시오. 하지만 그런 불완전한 왕들로 인해 우리는 더욱 예수님을 바라보게 됩니다. 예수님만이 하나님의 말씀을 하나도 빠짐없이 순종한 완전한 왕이십니다.

하나님이 사울을 버리셨어요

삼상 13:1~14, 15:1~35

이스라엘의 왕이 된 사울은 군대를 모았어요. 어느 날 사울은 한 무리의 군인들을 데리고 산으로 갔어요. 사울의 아들 요나단은 나머지 군인들과 함께 근처의 도시로 갔지요. 요나단이 이끄는 군대가 블레셋 사람들을 공격했어요. 블레셋 사람들은 이스라엘의 적이었어요. 그들은 하나님의 백성과 사이가 나빴지요. 요나단과 그의 군대는 블레셋 사람들과 싸워 적군의 진 중에서 한 곳을 쳐부수었어요.

블레셋 사람들은 화가 났어요! 그들은 이스라엘 사람들과 전쟁을 벌일 준비를 했어요. 이스라엘 백성은 겁이 났어요. 블레셋에는 군인들뿐만 아니라 전쟁에 쓰는 마차와 말도 훨씬 더 많았기 때문이에요. 블레셋이 이길 것이 뻔했지요! 어떤 이스라엘 군인들은 무서워서 동굴에 숨기도 했어요.

사울왕은 어떻게 해야 할지 몰랐어요. 하나님께 제사를 드리면 하나님이 도와주실 것이라고 생각했지요. 하지만 사울은 제사를 드릴 수 없었어요. 제사를 드리는 일은 제사장인 사무엘만 할 수 있었거든요. 사울은 사무엘이 오기를 기다리고 또 기다렸어요. 7일이나 기다렸지만 사무엘이 오지 않았어요. 그러자 사울은 그만 자기가 제사를 드리고 말았어요.

그때 사무엘이 도착했어요. "사울왕이시여, 지금 무슨 일을 하신 것입니까?" 하고 사무엘이 물었어요. 사울은 이렇게 변명했어요. "백성이 도망치기 시작하는데 당신은 정한 시간에 오지 않았습니다. 그래서 다급한 마음에 제가 하나님께 도와 달라고 제사를 드렸습니다." 제사장이 아닌 사울이 제사를 드린 것은 죄였어요!

사무엘은 사울이 하나님의 명령을 어겼다고 말했어요. "이제 왕의 나라는 오래가지 않을 것입니다. 하나님은 하나님의 마음에 맞는 사람을 찾아 새 지도자로 삼으실 것입니다. 하나님의 말씀을 잘 듣는 사람 말입니다."

얼마 후 하나님은 사울이 아말렉 사람들을 물리치기를 바라셨어요. 그래서 사무엘을 통해 사울왕에게 말씀하셨어요. 하나님은 전쟁에서 이기고 나면 아말렉의 모든 것을 없애 버리라고 말씀하셨어요.

이스라엘 백성은 아말렉 사람들과 싸워 이겼어요. 그러나 사울은 하나님이 원하시는 대로 아말렉의 모든 것을 없애지 않았어요. 그는 가장 좋은 소와 양 같은 동물들을 가져왔어요. 아무도 갖고 싶어 하지 않는 하찮은 것들만 없앴지요.

하나님이 사무엘에게 말씀하셨어요. "내가 사울을 왕으로 삼은 것을 후회한다. 그는 내게서 등을 돌리고 내 지시를 따르지 않았다. 사울이 내 말에 순종하지 않는다면 나도 그를 왕의 자리에서 쫓아내겠다."

사무엘은 사울에게 하나님이 화가 나셨다고 말했어요. "하나님이 하나님의 음성에 순종하는 것보다 번제와 다른 제사들을 기뻐하시겠습니까? 순종이 제사보다 낫고 귀 기울이는 것이 숫양의 기름보다 낫습니다. 왕이 하나님의 말씀을 거역했기 때문에 하나님이 당신을 버려 왕이 되지 못하게 하셨습니다.”

사울은 슬펐어요. 그는 계속 왕이 되고 싶었거든요. 하지만 하나님은 하나님의 말씀을 잘 듣는 새 왕에게 이스라엘을 주실 거예요.

사울은 오직 제사장들만 드릴 수 있는 제사를 자기가 드렸어요. 하나님은 하나님께 순종하지 않은 사울을 왕의 자리에서 쫓아내셨어요. 하나님은 아들이신 예수님을 우리의 왕으로 보낼 계획을 갖고 계셨어요. 왕이신 예수님은 아무 죄도 짓지 않으셨고, 자신의 목숨을 우리를 위한 완전한 제물로 바치셨어요.

가스펠 준비

싱글벙글 😄 환영해요

“우리의 왕”(지도자용 팩)을 튼다. 아이들을 반갑게 맞이하며 헌금과 기도를 도와준다. 예배 중 헌금 순서가 있다면 아이들이 헌금을 잘 간수하도록 돕는다. 가방과 외투를 정리하도록 안내한다. 새로 온 아이가 있다면 음수대와 화장실의 위치를 알려 주고, 보호자와 만나는 시간과 방법 등을 소개한다. 보호자들을 위한 안내문을 붙여 아이와 만나는 시간, 기다리는 장소, 헌금 방법, 아이에 대한 특별한 주의 사항을 교사에게 미리 알려 주기 등을 공지한다.

너랑 나랑 😄 마음 열기

주제와 관련 있는 퍼즐이나 블록 등 아이들이 좋아하는 장난감을 몇 가지 비치해 두고 다양한 활동을 하며 예배를 준비하도록 돕는다. 아이들이 마음을 열고 오늘의 주제에 관심을 갖게 하며 예배에 집중할 수 있도록 도와준다. 교회 형편에 맞게 시간과 활동 방법을 조절한다.

엄마, 가도 돼요? *

❶ 아이들과 다양한 걸음걸이에 대해 이야기를 나눈다. 게임에 활용할 몇 가지 걸음걸이를 정해 두어도 좋다.

　예) 아장아장 걸음, 깡충깡충 걸음, 성큼성큼 걸음 등.

❷ 인도자가 ‘엄마’ 역할을 맡고, 아이들을 예배실 한쪽 벽으로 보낸 뒤 ‘엄마’와 마주 보도록 옆으로 길게 한 줄로

세운다. '엄마'가 보기에 맨 오른쪽 아이부터 차례대로 "엄마, ○○○○ 걸음으로 ○걸음 가도 돼요?"라고 묻고 '엄마'의 대답에 따라 이동하면 된다는 게임의 규칙을 설명해 준다.

`tip` 걸음걸이의 수는 3걸음 이하로 정해 둔다.

❸ '엄마'는 "응, 어서 오렴" 또는 "아니, 기다려요"를 적당히 섞어서 답한다.

❹ '엄마'에게 가장 먼저 도착한 아이에게 다음 '엄마' 역할을 맡겨 활동을 여러 번 반복한다.

> **인도자** '엄마, 가도 돼요?' 게임에서 가장 먼저 '엄마'에게 도착하려면 '엄마'가 시키는 대로 해야 했지요? 순종은 그만큼 중요해요. 하나님께 순종하는 것은 특별히 더 중요하답니다. 오늘의 성경 이야기에서 사울은 하나님의 말씀을 듣지 않았어요. 과연 사울에게 어떤 일이 있었던 것일까요? 함께 알아보아요.

선물을 열어 보세요 ＊

❶ 좋은 선물은 허름한 포장지로, 나쁜 선물은 화려한 포장지로 각각 포장한 후 번호를 차례대로 적어 둔다.

❷ 선물과 똑같은 개수의 쪽지에 숫자를 차례대로 적어 제비를 만든 후 바구니에 담아 둔다.

❸ 팀별로 한 명이 앞으로 나와 제비를 뽑으면 해당하는 번호가 적힌 선물을 준다.

❹ 팀원들과 함께 포장지를 뜯어 보며 아이들의 반응을 살핀다. 모두에게 자신이 받은 선물을 소개하는 시간을 갖는다.

> **인도자** 겉보기엔 좋은 선물 같았는데 속은 그렇지 않은 것들이 있었지요? 부러진 나뭇가지, 돌, 바나나 껍질을 받은 친구가 있나요? 아이들의 반응을 살펴본다. 반대로 어떤 선물은 겉보기엔 별로였지만 속은 좋았고요! 오늘의 성경 이야기에 나오는 이스라엘 백성은 그토록 원하던 왕과 함께 있었어요. 그들은 왕이 생기면 좋을 것이라고 생각했었지요. 사울왕은 겉보기에는 아주 훌륭한 왕 같았어요! 하지만 이제 곧 알게 되겠지만, 사울은 하나님께 순종하지 않는 마음을 갖고 있었답니다. 지금부터 좀 더 자세히 알아보아요.

예배 대형으로 모이기

- 카운트다운 영상, 모이기 노래 등을 활용해 예배 대형으로 바꾸고 마음을 준비하게 한다.
- 공간을 이동해야 한다면 겁에 질린 이스라엘 군인의 흉내를 내며 가도록 한다.

가스펠 설교

하나 ─ 들어가기

아이들을 자리에 앉힌 다음, 아무 말 없이 앉아 있다가 아이들이 궁금해하면 "기다리자"라고 말한다.

기다리기 힘들 때가 있지요? 우리는 참을성이 많지 않거든요. 오늘의 성경 이야기에서 사울왕은 하나님께 제사를 드리기 위해 선지자 사무엘을 기다렸어요. 그런데 기다림에 지친 나머지 잘못된 선택을 하고 말았어요. 사울왕이 어떤 잘못을 저질렀는지 한번 알아볼까요?

둘 ─ 성경 이야기

사무엘상 13, 15장을 편다. 설교 영상(지도자용 팩)을 보여 주거나 이야기 성경을 들려준다.

성경은 세상에서 가장 중요한 책이에요. 하나님의 말씀이 들어 있기 때문이에요. 성경 속의 이야기는 모두 실제로 일어났던 일들이랍니다. 오늘의 성경 이야기는 '사무엘상'에 나와요.

셋 ─ 메시지와 정리

사울왕은 좋은 왕이 아니었어요. 그는 계속해서 하나님의 말씀에 불순종했어요. **사울은 하나님의 말씀을 듣지 않아 왕의 자리에서** 결국 **쫓겨났어요.** 하나님은 이스라엘에 새 왕을 세울 계획을 세우셨어요. 하나님께 순종하는 왕 말이에요.

연대표(지도자용 팩)를 가리키면서 복습 질문을 한다.

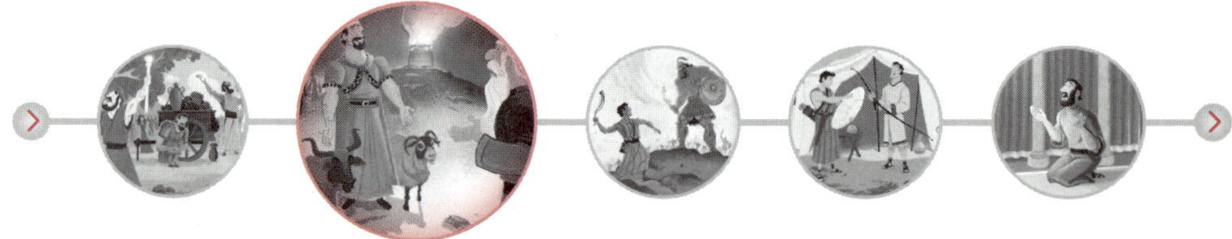

1. 하나님께 제사를 드릴 수 있는 사람은 누구인가요? 제사장인 사무엘
2. 사울이 하나님께 제사를 드린 것은 옳은 행동이었나요? 아니다, 잘못된 행동이었다
3. 사울은 제사를 드리는 대신 어떻게 행동해야 했나요? 제사장 사무엘을 기다려야 했다
4. 아말렉과의 전쟁에서 사울은 하나님의 말씀대로 아말렉의 모든 것을 없앴나요? 아니다, 가장 좋은 소와 양 같은 동물들은 남겨 두었다
5. 하나님은 왜 사울을 왕의 자리에서 쫓아내기로 결심하셨나요? 사울이 하나님의 말씀을 듣지 않았기 때문이다

넷 — 성경의 초점

하나님은 사무엘을 통해 왕이 세워지면 어떤 일이 생길지 이스라엘 백성에게 경고하셨어요. 그래도 그들은 왕을 원했어요. 이스라엘 백성은 하나님을 의지하지 않았거든요. 사울은 완벽하거나 좋은 왕이 아니었어요. 사울은 하나님의 말씀에 불순종하는 죄를 지었어요. 사람은 완벽한 왕이 될 수 없어요. 하지만 하나님은 우리에게 그 어떤 사람과도 비교할 수 없는 하늘의 왕을 보내 주기로 마음먹으셨어요. **"우리의 왕은 누구인가요?"**, **"예수님이 우리의 영원한 왕이세요."** 왕이신 예수님은 아무 죄도 짓지 않으셨고, 자신의 목숨을 우리를 위한 완전한 제물로 바치셨어요.

다섯 — 복음 초청

성경과 36쪽 복음 초청 가이드를 이용해서 아이들에게 그리스도인이 되는 법을 설명해 준다. 따로 상담해 줄 사람을 정해 주고 궁금한 점이 있으면 물어보도록 격려한다.

이 시간 예수님을 믿고 마음에 모시고 싶은 친구는 함께 기도해요.

여섯 — 기도

하나님, 하나님의 말씀을 듣지 않는 것이 큰 죄라는 사실을 우리에게 알려 주셔서 감사해요. 우리에게 하나님의 말씀에 순종할 수 있는 믿음을 허락해 주세요. 하나님, 우리에게 완벽한 왕이신 예수님을 보내 구원받게 하시니 감사드려요. 예수님을 믿으면 구원을 얻게 해 주신 하나님의 사랑을 기억하며 살게 해 주세요. 예수님의 이름으로 기도합니다. 아멘.

일곱 — 암송송

성경에서 시편 47편 7~8절을 펴고 큰 소리로 여러 번 따라 읽게 한다.

하나님은 온 땅을 다스리는 왕이세요. 왕이나 지도자들이 가지는 힘은 모두 하나님이 주신 것에 불과해요. 하나님이 이 세상을 창조하셨고, 지금도 다스리고 계세요. 성경 말씀에 나오는 것처럼 우리도 하나님께 찬양을 드려요.

암송송(160쪽)에 맞추어 손유희를 하며 말씀을 익힌다.

"하나님은 온 땅의 왕이심이라 지혜의 시로 찬송할지어다 하나님이 뭇 백성을 다스리시며 하나님이 그의 거룩한 보좌에 앉으셨도다"(시 47:7~8).

tip 전체 구절 암송이 어려운 경우에는 표시 부분을 발췌해 외워도 좋다.

알콩달콩 — 말씀 놀이

두려워하는 사울을 그려 보아요

준비물 ▶ 유치부 교재 6쪽, 색연필, 연필

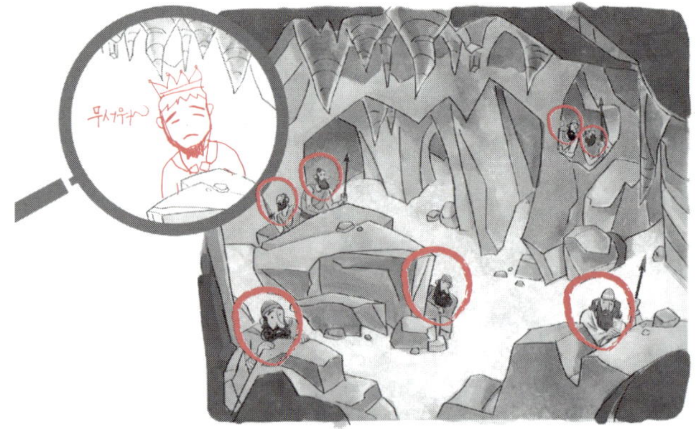

이야기 나누기
- 이스라엘 군인들은 왜 숨었나요?
- 사울왕은 두려워하는 군인들을 보고 어떤 잘못을 저질렀나요?

❶ 적군인 블레셋을 피해 동굴 속에 숨어 있는 이스라엘 군인 7명을 찾아 ○표 하라고 한다.

❷ 사울이 어떤 마음이었을지, 어떤 표정이었을지 상상해 이야기를 나누어 보고, 빈칸에 그림으로 표현해 보는 시간을 갖는다.

인도자 이스라엘 백성은 블레셋 군사들을 무서워했어요. 어떤 사람들은 동굴에 숨기도 했지요. 사울왕은 다급한 마음에 잘못된 선택을 했어요. 사울이 어떤 선택을 했는지 기억하나요? 사울왕은 오직 제사장만 드릴 수 있는 제사를 자기가 드리고 말았어요. 그것은 죄였어요. **사울은 하나님의 말씀을 듣지 않아 왕의 자리에서 쫓겨났어요.** 하나님은 우리를 위해 하늘의 왕이신 예수님을 보내 주셨어요. 왕이신 예수님은 아무 죄도 짓지 않으셨고, 자신의 목숨을 우리를 위한 완전한 제물로 바치셨어요.

짝 찾기 게임을 해요 *

준비물 ▶ 163~167쪽 '왕관 카드'(또는 지도자용 팩), 가위

❶ 163~167쪽 '왕관 카드'(또는 지도자용 팩)를 가위를 이용해 잘라 준비해 둔다.

❷ '왕관 카드'를 섞어 격자무늬로 뒤집어 놓아 둔다.

❸ 한 명씩 돌아가며 '왕관 카드'를 2장씩 뒤집어 짝 찾기 게임을 한다. 다른 그림을 뽑았을 경우 다시 제자리에 놓아 두게 한다.

❹ 모든 짝을 찾을 때까지 계속한다.

tip 연령대가 낮은 경우 왕관이 보이도록 놓아 둔 채 진행한다.

 이 멋진 왕관을 쓴 사람이 오늘의 성경 이야기에 나왔어요. 사울왕이지요. 하지만 사울왕은 좋은 왕이 아니었어요. **사울은 하나님의 말씀을 듣지 않아 왕의 자리에서 쫓겨났어요.** 사울왕은 오직 제사장만 드릴 수 있는 제사를 자기가 드렸고, 아말렉과의 전쟁에서도 하나님의 말씀을 따르지 않았어요. 하나님의 구원 계획에 순종하신 예수님은 아무 죄도 짓지 않으셨고, 자신의 목숨을 우리를 위한 완전한 제물로 바치셨어요.

블록을 무너뜨려요 ✳

❶ 아이들에게 다양한 블록을 이용해 건물을 세워 보라고 한다.

❷ 정한 시간이 지나면 인도자가 "무너뜨려요!"라고 외친다.

❸ 아이들에게 블록 위에 남아 있는 블록이 하나도 없도록 완전히 무너뜨려야 한다고 말해 준다.

tip 안전을 위해 반드시 인도자의 지도를 따를 것과 자신이 세운 블록만 무너뜨리겠다는 약속을 한 후 활동한다.

 하나님은 사울에게 아말렉과 전쟁에서 이긴 후 반드시 아말렉의 모든 것을 없애라고 말씀하셨어요. 하지만 사울은 하나님의 말씀을 어겼어요. 그는 제일 좋은 소와 양 같은 동물들을 가져왔어요. 군인들은 아무도 갖고 싶어 하지 않는 하찮은 것들만 없앴어요. **사울은 하나님의 말씀을 듣지 않아 왕의 자리에서 쫓겨났어요.** 사무엘은 하나님이 사울에게 화가 나셨다고 말했어요. 사울은 슬펐지요. 오랫동안 왕이 되고 싶었으니까요. 하나님은 이스라엘을 위해 하나님께 순종하는 새 왕을 주실 거예요.

순종의 기쁨을 느껴요 ✳

❶ 쪽지에 몇 가지 따라야 하는 미션을 각각 적어 준비해 둔다.

예) • 손가락 하트를 만들어서 친구에게 보여 주세요.

   • 쪽지에 친구의 장점을 그리거나 적어서 선물해 주세요.

   • 친구의 어깨를 주물러 주거나 팔을 안마해 주세요.

   • 친구에게 요즘 기분이 어떤지, 혹시 힘든 일이 있는지 물어봐 주세요.

❷ 아이들을 3~4명씩 팀으로 묶고 팀별로 ❶을 한 장씩 뽑게 한다. 팀별로 차례로 쪽지를 펼쳐 보고, 인도자가 미션을 읽어 준다.

❸ 아이들이 해당하는 미션에 잘 순종하는지 지켜본다.

 여러분은 지시에 따라 행동했을 때 어떠했나요? 조금 힘들었을 수도 있지만, 쪽지에 적힌 대로 따라야만 미션에 성공할 수 있었지요? 오늘의 성경 이야기에서 이스라엘 군인들은 블레셋 사람들이 무서워서 동굴에 숨었어요. 이 광경을 본 사울왕은 어찌해야 될지 몰라 하나님께 도와 달라고 제사를 드렸어요. 하지만 제사는 오직 제사장만 드릴 수 있었어요. **사울은 하나님의 말씀을 듣지 않아 왕의 자리에서 쫓겨났어요.** 하나님께 순종하는 것은 무엇보다 중요해요. 하나님의 아들, 예수님은 하나님께 완전히 순종하셨어요. 자기의 목숨을 버리면서까지 우리를 구원하시려는 하나님의 계획에 순종하셨어요.

동물을 찾아요 ✱

준비물 ▶ 대야, 쌀(모래), 작은 동물 장난감(소, 양 등), 쓰레기통

❶ 대야에 쌀을 약 10cm 깊이로 채워 둔다.
❷ 작은 동물 장난감들을 쌀 속에 깊이 묻어 둔다.
❸ 아이들에게 쌀을 파서 숨겨 둔 '동물들'을 찾아 보라고 한다.
❹ 아이들이 '동물들'을 다 찾았으면 쓰레기통에 버리라고 하고, 아이들이 직접 버리도록 지도한다.
❺ 쓰레기통에 버린 '동물들'을 꺼내 아이들에게 보여 주며 설명한다.

tip 아이들이 귀가한 후 작은 동물 장난감들을 깨끗이 씻어 다시 사용할 수 있도록 한다.

 여러분이 힘들게 찾은 '동물들'을 쓰레기통에 버리라고 했을 때 기분이 어떠했나요? 버리기가 쉽지 않았지요? 이처럼 순종하는 것은 결코 쉬운 일이 아니에요. 하지만 하나님께 순종하는 것은 중요한 일이에요. 왜냐하면 하나님의 명령은 모두 우리를 위한 일이기 때문이에요. 하나님은 이스라엘 백성에게 아말렉 사람의 모든 것을 없애 버리라고 명령하셨어요. 동물들도 모두 죽게 하라고 하셨지요. 하지만 사울은 제일 좋은 소와 양 같은 동물들은 살려 두었어요. **사울은 하나님의 말씀을 듣지 않아 왕의 자리에서 쫓겨났어요.** 이스라엘의 왕은 하나님께 순종하는 사람이어야 했어요. 하나님은 하나님의 말씀에 완전히 순종할 왕을 세우기로 결심하셨어요. 바로 하나님의 아들, 예수님이시지요. 왕이신 예수님은 아무 죄도 짓지 않으셨고, 자신의 목숨을 우리를 위한 완전한 제물로 바치셨어요.

❶ 카운트다운 영상, 정리하기 노래 등을 활용해 활동이 끝났음을 알린다. 아이들에게 주변을 정리하게 하고, 화장실에 가거나 물티슈 등을 이용해 손을 씻을 시간을 준다.

❷ 감사 기도를 드리고 백설기와 식혜를 간식으로 나누어 준다. 아이들에게 하나님께 순종하지 않은 사울을 하나님이 왕의 자리에서 쫓아내셨다는 오늘의 성경 이야기를 떠올려 주고, 우리는 백설기처럼 하얀 마음으로 하나님께 순종하자고 격려한다. 아무 죄도 짓지 않고 순종하신 예수님을 소개해 준다.

❸ 간식을 먹은 후 마무리 정리를 잘하도록 지도한다.

❶ 이번 주 메시지 카드로 부모님과 함께 오늘 배운 성경 이야기를 나누어 보라고 한다.

가족과 활동해요

• 지도나 지구본을 보면서 왕이 다스리는 나라를 찾아보세요. 그 나라의 국민과 그곳에 사는 *성도들을 위해 기도하세요. 하나님이 모든 나라를 다스리고 계신다는 사실에 관해 이야기를 나누어 보세요.

*성도 : 예수님을 믿는 사람

❷ 소그룹 활동지를 떼어 파일에 끼우고 가방에 정리하게 한다.

❸ 아이들을 위해 기도한다.

> **인도자** 하나님, 우리는 사울 같은 사람이 되기 싫어요. 우리는 하나님을 사랑하고 하나님의 말씀을 잘 듣는 마음을 갖고 싶어요. 우리가 예수님을 믿고 따를 때 하나님이 우리의 마음을 바꾸어 주실 것을 믿어요. 우리의 죄를 위해 생명을 바치신 예수님을 우리의 왕으로 보내 주신 것도 감사드려요. 하나님께 더욱 순종하게 해 주세요. 예수님의 이름으로 기도합니다. 아멘.

❹ 아이를 데리러 온 부모에게 아이가 특별히 즐거워했거나 잘했던 활동들에 대해 이야기해 주고, 가정에서 성경 읽기와 가족 활동을 진행할 수 있도록 격려한다.

나만의 기록장

하나님께 순종하는 내 모습 그리기

복음 초청 가이드

나를 위한 하나님의 멋진 계획

'복음'이라는 말을 들어 본 적 있니? 복음이란 '좋은 소식'이라는 뜻이야. 우리에게 보내신 하나님의 좋은 소식이 무엇일까?

하나님은 세상을 만드셨단다
하나님이 세상을 만드시고, 사람을 만드셨어. 그리고 사랑하셨지.
(창 1:1; 골 1:16~17; 계 4:11)

사람들은 죄를 짓고 하나님을 떠났어
그런데 사람들이 죄를 지어서 하나님과 함께 살 수 없게 되었어.
결국 죽을 수밖에 없게 되었지.
(롬 3:23, 6:23)

하나님은 구원 계획을 갖고 계시단다
하나님은 우리를 사랑하셔서 우리가 하나님과 함께 살기 원하셨어.
그래서 우리(너)를 위한 놀라운 계획을 세우셨단다.
(요 3:16; 엡 2:8~9)

예수님이 우리에게 생명을 주셨어
하나님은 아들 예수님을 보내셨고, 예수님은 우리 죄를 대신해 십자가에서 죽으시고, 3일 만에 다시 살아나셨어. 우리에게 영원한 생명을 주시고 하나님과 함께 살 수 있는 길을 열어 주신 거야.
(롬 5:8; 고후 5:21; 벧전 3:18)

예수님! 우리의 마음에 오세요!
예수님을 믿고 마음에 받아들이면 하나님의 자녀가 된단다.
이것이 가장 좋은 소식, 복된 소식, 복음이란다.
(요 1:12~13; 롬 10:9~10, 13)

예수님을 영접하기 원하는 어린이가 있다면 개인적으로 상담하고 영접 기도를 할 수 있도록 도와주세요.

예수님이 ○○를 사랑하시는 것을 믿겠니?
예수님이 ○○의 죄를 씻어 주신 것을 믿겠니?
예수님을 ○○의 마음에 받아들이겠니?

믿음을 고백하고 예수님을 영접하기 원하는 어린이를 위해 간절히 기도해 주세요.

이제 ○○는 하나님의 자녀(아들, 딸)가 되었어!
이것이 예수님을 통해 ○○에게 이루어 주신 하나님의 계획이야!
○○야, 하나님의 자녀(아들, 딸) 된 것을 축하해!

3

다윗이 골리앗과 맞섰어요

주제	하나님은 다윗에게 골리앗을 무찌를 수 있는 힘을 주셨어요.
예수님 생각하기	다윗은 누가 봐도 거인과 싸워 이길 만한 사람이 아니었어요. 하지만 하나님이 그에게 힘을 주셨지요. 예수님도 사람들을 구원할 수 있는 분처럼 보이지 않았어요. 하지만 예수님은 십자가에서 죽으시고 다시 살아나셔서 사람들을 죄에서 구원할 수 있는 능력을 보여 주셨어요.
단원 암송	시 47:7~8
성경의 초점	우리의 왕은 누구인가요? 예수님이 우리의 영원한 왕이세요.

사무엘은 사울에게 기름을 부어 이스라엘의 왕으로 세웠습니다. 하지만 사울은 오래지 않아 불순종 때문에 하나님께 버림받았습니다. 하나님은 사무엘을 베들레헴으로 보내 이새와 그의 아들들을 만나게 하셨습니다. 이새의 아들 중 한 명을 이스라엘의 왕으로 정하셨기 때문입니다(삼상 16:1).

이새에게는 아들이 많았습니다. 사무엘은 이새의 맏아들인 엘리압을 본 순간 그가 바로 하나님이 기름을 부으실 자라고 생각했습니다. 엘리압은 왕이 되기에 손색이 없을 정도로 키도 크고 잘생겼기 때문입니다. 그러나 하나님의 기준은 사람들의 기준과 달랐습니다. 하나님은 "내가 보는 것은 사람과 같지 아니하니 사람은 외모를 보거니와 나 여호와는 중심을 보느니라"(삼상 16:7)라고 말씀하셨습니다.

이새의 아들들이 한 명씩 차례로 사무엘의 앞을 지나갔습니다. 사무엘은 아마도 이스라엘의 다음 왕으로 누구를 선택하셨는지 하나님의 음성을 듣고자 노심초사했을 것입니다. '아비나답일까? 삼마일까?'라고 생각했지만 하나님은 그들 중 그 누구도 왕으로 선택하지 않으셨습니다.

이제 양을 돌보느라 들판에 나가 있던 막내아들인 다윗만 남았습니다. 이새가 사람을 보내어 다윗을 데려왔습니다. 다윗이 들어오자 하나님이 말씀하셨습니다. "이가 그니 일어나 기름을 부으라"(삼상 16:12). 사무엘은 다윗에게 기름을 부었고, 하나님의 영이 다윗에게 임했습니다.

기름 부음을 받은 다윗이 곧바로 왕이 된 것은 아니었습니다. 사울이 여전히 이스라엘의 왕이었고, 다윗은 아직 어렸습니다.

어느 날 형들에게 음식을 가져다주려고 전쟁터를 찾은 다윗은 이스라엘과 싸우기 위해 모여든 블레셋 사람들을 보았습니다. 다윗과 골리앗의 이야기는 구약성경의 이야기 중 가장 잘 알려진 사건입니다. 이스라엘 백성이 두려움에 떨고 있을 때, 무기라고는 물매와 조약돌 5개가 전부였던 다윗은 하나님이 주시는 힘으로 적군을 물리쳤습니다.

● ● 티칭 포인트

아이들이 두려움에 떨고 있는 이스라엘의 입장이 되어 보도록 도와주십시오. 예수님을 떠난다면 우리도 죄와 죽음이라는 적군 앞에서 힘없이 떨고 있을 수밖에 없습니다. 다윗처럼 분연히 일어날 수 있는 사람은 하나도 없을 것입니다. 아무리 노력한다 해도 우리의 힘만으로는 결국 실패할 것입니다. 예수님은 우리를 구하러 오신 세상에서 가장 위대한 영웅이심을 말해 주십시오. 예수님은 우리에게 구원과 영원한 생명을 주시는 분입니다.

다윗이 골리앗과 맞섰어요

삼상 16~17장

이스라엘의 왕이 된 사울은 하나님께 순종하지 않았어요. 그래서 하나님은 이스라엘에 새 왕을 세우기로 결심하셨어요. 하나님은 사무엘에게 베들레헴에 사는 한 사람을 찾아가라고 말씀하셨어요. 그 사람의 이름은 이새였는데, 그에게는 8명의 아들들이 있었어요. 하나님은 그들 중 한 명이 이스라엘의 왕이 될 것이라고 말씀하셨어요.

사무엘은 하나님의 말씀을 따랐어요. 베들레헴으로 가서 이새와 그의 아들들을 만났지요. 이새의 큰아들은 키가 크고 잘생긴 사람이었어요. 사무엘은 '틀림없이 하나님이 이 사람을 뽑으셨다'라고 생각했어요. 하지만 하나님은 이렇게 말씀하셨어요. "사무엘아, 그 사람이 아니다. 겉모습이나 키를 보지 마라. 사람은 겉으로 드러나는 모습을 보지만 나는 사람의 마음의 중심을 본다."

이새의 아들들이 한 명씩 차례대로 사무엘의 앞을 지나갔지만, 하나님은 그들 중 아무도 뽑지 않으셨어요. 사무엘이 "아들들이 모두 온 것입니까?"라고 이세에게 물었어요. 이새는 "막내 다윗이 지금 들판에서 양들을 돌보고 있습니다"라고 답했어요. 그러고는 사람을 보내 다윗을 데려왔어요.

다윗이 들어오자 하나님이 사무엘에게 말씀하셨어요. "저 아이가 맞다!" 사무엘은 하나님이 왕으로 선택하신 사람이라는 표시로 다윗의 머리에 기름을 부었어요. 그러고 난 후 사무엘은 집으로 돌아갔어요.

이즈음 사울의 군대는 블레셋 사람들과 싸울 준비를 하고 있었어요. 블레셋은 이스라엘의 적이었는데, 그들에게는 골리앗이라는 장수가 있었어요. 골리앗은 키가 아주 크고 힘이 셌어요. 그가 이스라엘 군사들을 함부로 대하고 놀렸지만, 아무도 골리앗과 싸우고 싶어 하지 않았어요. 무서웠기 때문이지요. 다윗의 형들 3명도 이스라엘 군대에 있었어요.

어느 날 다윗은 형들에게 음식을 가져다주려고 전쟁터에 갔어요. 그곳에서 다윗은 골리앗이 이스라엘을 놀리는 모습과 모두들 무서워서 벌벌 떨고 있는 모습을 보았어요. 비록 어렸지만 다윗은 자기가 가서 골리앗과 싸우겠다고 나섰어요.

그러자 사울왕이 "너는 골리앗과 상대가 되지 않는다"라고 하며 다윗을 말렸어요. 다윗은 이렇게 말했어요. "저는 양을 칠 때 사자나 곰과도 싸워 이겼습니다. 하나님이 저를 지켜 주실 것입니다." 다윗은 근처 시냇가로 가서 조약돌 5개를 주웠어요. 다윗의 무기는 조약돌과 물매가 전부였지요.

골리앗은 다윗이 아직 어린 소년인 것을 보고 다윗을 놀렸어요. 그러자 다윗이 외쳤어요. "너는 칼과 창을 가지고 내게 나오지만, 나는 이스라엘 군대의 하나님의 이름으로 싸우러 나간다! 오늘 하나님이 이기게 하실 것이다!" 다윗은 골리앗을 향해 달려가면서 물매로 돌을 던져 골리앗의 이마를 맞추었어요. 골리앗이 앞으로 고꾸라지자, 다윗이 그를 죽게 했어요!

●● 예수님 생각하기

다윗은 누가 봐도 거인과 싸워 이길 만한 사람이 아니었어요. 하지만 하나님이 그에게 힘을 주셨지요. 예수님도 사람들을 구원할 수 있는 분처럼 보이지 않았어요. 하지만 예수님은 십자가에서 죽으시고 다시 살아나셔서 사람들을 죄에서 구원할 수 있는 능력을 보여 주셨어요.

가스펠 준비

싱글벙글   환영해요

"우리의 왕"(지도자용 팩)을 튼다. 아이들을 반갑게 맞이하며 헌금과 기도를 도와준다. 예배 중 헌금 순서가 있다면 아이들이 헌금을 잘 간수하도록 돕는다. 가방과 외투를 정리하도록 안내한다. 새로 온 아이가 있다면 음수대와 화장실의 위치를 알려 주고, 보호자와 만나는 시간과 방법 등을 소개한다. 보호자들을 위한 안내문을 붙여 아이와 만나는 시간, 기다리는 장소, 헌금 방법, 아이에 대한 특별한 주의 사항을 교사에게 미리 알려 주기 등을 공지한다.

너랑 나랑   마음 열기

주제와 관련 있는 퍼즐이나 블록 등 아이들이 좋아하는 장난감을 몇 가지 비치해 두고 다양한 활동을 하며 예배를 준비하도록 돕는다. 아이들이 마음을 열고 오늘의 주제에 관심을 갖게 하며 예배에 집중할 수 있도록 도와준다. 교회 형편에 맞게 시간과 활동 방법을 조절한다.

"아니고, 아니고, 왕!" *

tip '수건돌리기' 게임을 변형한 활동이다.

❶ 아이들을 마주 보고 둥글게 앉힌 뒤 한 명을 뽑아 '왕' 역할을 맡긴다.

❷ '왕'에게 아이들 바깥을 돌되, 2명을 차례대로 어깨를 짚으면서 "아니고", "아니고"라고 말하라고 한다. 그리고 세 번째 아이의 어깨를 짚으면서는 "왕!"이라고 외친 후 재빨리 도망가 빈자리(세 번째 아이가 앉았던 자리)에 앉으라고 한다. '새 왕'이 된 세 번째 아이는 서둘러 일어나 '왕'을 잡아야 한다고 말해 준다.

❸ '새 왕'과 함께 게임을 반복해서 진행한다.

> **인도자** 매번 우리에게 새 왕이 생겼군요! 지난주에 배운 성경 이야기를 기억하고 있나요? 사울은 하나님의 말씀을 듣지 않아 왕의 자리에서 쫓겨났어요. 하나님은 하나님께 순종하는 사람을 이스라엘의 새 왕으로 세우기로 결심하셨어요. 드디어 오늘 새 왕이 누구인지 알게 될 거예요. 기대하세요!

맹수를 쓰러뜨려요 *

> **준비물 ▶** 안전한 그물망, 벽돌 블록, 셀로판테이프, 맹수의 사진(사자, 곰 등), 컬러 박스 테이프

❶ 컬러 박스 테이프를 이용해 출발선을 표시한다. 약 5m 앞에 맹수의 사진을 붙인 벽돌 블록을 세워 둔다.

❷ 아이들을 출발선 뒤에 한 줄로 세운 후 첫 번째 아이에게 안전한 그물망을 손을 제외하고 몸의 다양한 부위에 올려놓으라고 한다.

예) 머리, 이마, 귀, 가슴, 팔꿈치, 무릎 등.

❸ 인도자가 "출발!"을 외치면 '맹수'에게 조심스레 다가가 그물망을 던져 쓰러뜨리라고 한다.

tip 공정성을 위해 '그물망을 던지는 곳'을 표시해 두어도 좋다. 연령대에 따라 거리를 조정할 수 있다.

❹ 아이들을 2팀으로 나누어 게임을 반복해서 진행한다.

> **인도자** 하나님이 누구를 새 왕으로 선택하셨을까요? 그는 목동이었어요. 목동이란 양이 풀을 먹고 잘 쉴 수 있도록 돕는 사람이에요. 양을 잡아먹으려는 맹수들로부터 양을 지키는 것도 목동이 해야 하는 일이었지요. 우리가 그물망을 이용해 '맹수'를 쓰러뜨렸듯이 목동도 맹수들을 다양한 방법으로 쓰러뜨렸을 거예요. 목농이었던 새로운 왕이 과연 누구인지 궁금하지요? 잘 들어 보세요.

👍 예배 대형으로 모이기

- 카운트다운 영상, 모이기 노래 등을 활용해 예배 대형으로 바꾸고 마음을 준비하게 한다.
- 공간을 이동해야 한다면 "매~, 매~" 양의 울음 소리를 내며 가도록 한다.

가스펠 설교

 **들어가기**

아이들에게 조약돌 5개를 보여 주며 만져 보라고 한다.

오늘의 성경 이야기에서 다윗은 거인 골리앗과의 싸움에서 이기기 위해 조약돌 5개를 주웠어요. 그 돌멩이들은 별로 크지도, 대단하지도 않았어요. 다윗처럼 말이지요. 하지만 하나님은 작고 보잘것없는 것들을 통해 하나님의 능력을 보여 주기를 좋아하신답니다.

둘 — 성경 이야기

사무엘상 16~17장을 편다. 설교 영상(지도자용 팩)을 보여 주거나 이야기 성경을 들려준다.

성경은 진짜예요. 하나님은 성경을 통해 우리에게 하나님의 말씀을 들려주세요. 성경은 세상에서 가장 중요한 책이에요. 오늘의 성경 이야기는 '사무엘상'에 나와요.

셋 — 메시지와 정리

하나님은 다윗이라는 평범한 소년을 사용해 평범하지 않은 일을 하셨어요. **하나님은 다윗에게 키가 크고 힘이 센 장수 골리앗을 무찌를 수 있는 힘을 주셨어요.** 하나님은 하나님의 백성을 적에게서 구하기 위해 다윗을 사용하셨어요.

연대표(지도자용 팩)를 가리키면서 복습 질문을 한다.

1. 하나님은 이새의 아들들 중 누구를 이스라엘의 새 왕으로 선택하셨나요? 다윗
2. 사무엘이 이새의 집에 왔을 때 다윗은 무엇을 하고 있었나요? 들판에서 양들을 돌보고 있었다
3. 키가 크고 힘이 센 블레셋 장수의 이름은 무엇인가요? 골리앗
4. 다윗은 무엇으로 골리앗과 싸웠나요? 조약돌과 물매
5. 다윗이 골리앗을 이기도록 도와주신 분은 누구이신가요? 하나님

넷 — 성경의 초점

다윗은 왕이 될 사람처럼 보이지 않았어요. 하지만 하나님은 그를 이스라엘의 왕으로 세우셨어요. 예수님도 사람들의 눈에는 왕처럼 보이지 않았어요. 하지만 하나님은 예수님을 보내 십자가에서 죽게 하시고 다시 살아나게 하셨지요. **"우리의 왕은 누구인가요?"**, **"예수님이 우리의 영원한 왕이세요."** 왕이신 예수님은 사람들을 죄에서 구원할 수 있는 능력을 보여 주셨어요.

다섯 — 복음 초청

성경과 36쪽 복음 초청 가이드를 이용해서 아이들에게 그리스도인이 되는 법을 설명해 준다. 따로 상담해 줄 사람을 정해 주고 궁금한 점이 있으면 물어보도록 격려한다.

이 시간 예수님을 믿고 마음에 모시고 싶은 친구는 함께 기도해요.

여섯 — 기도

하나님, 오늘의 성경 이야기에서 사람의 눈에는 보잘것없다고 느껴지는 다윗이지만 하나님이 그를 선택하시고, 골리앗을 물리칠 힘을 그에게 주신 것을 보았어요. 다윗처럼 우리를 선택해 구원해 주시고 늘 새 힘을 주셔서 감사해요. 우리와 같은 사람들을 구원하기 위해 하나님의 아들이신 예수님을 보내 주셔서 감사해요. 예수님의 이름으로 기도합니다. 아멘.

일곱 — 암송송

성경에서 시편 47편 7~8절을 펴고 큰 소리로 여러 번 따라 읽게 한다.

하나님은 온 땅의 왕이세요. 하나님처럼 위대한 왕은 이 세상에 없어요. 하나님은 이 세상을 전부 다스리세요. 하나님이 허락하지 않으시면 아무 일도 일어나지 않아요. 우리에게는 자기 백성을 아끼는 좋은 왕이신 하나님이 계신답니다.

암송송(160쪽)에 맞추어 손유희를 하며 말씀을 익힌다.

"하나님은 온 땅의 왕이심이라 지혜의 시로 찬송할지어다 하나님이 뭇 백성을 다스리시며 하나님이 그의 거룩한 보좌에 앉으셨도다"(시 47:7~8).

`tip` 전체 구절 암송이 어려운 경우에는 표시 부분을 발췌해 외워도 좋다.

알콩달콩 ── 말씀 놀이

골리앗을 물리쳐요!

준비물 ▶ 유치부 교재 8쪽, 35쪽
'골리앗' 인형, 포일, 풀

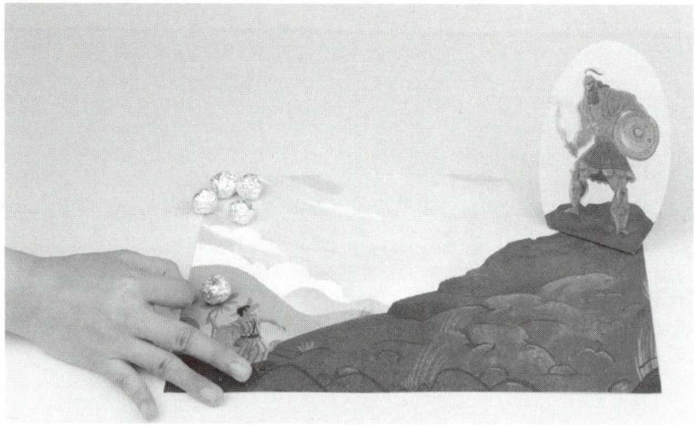

이야기 나누기

- 이스라엘 군인들은 왜 골리앗을 두려워했나요?
- 다윗이 골리앗을 이길 수 있었던 이유는 무엇인가요?

❶ 다윗은 물매와 조약돌을 들고 '하나님의 이름으로' 나아갔다고 아이들에게 이야기해 준다.

❷ 유치부 교재 35쪽 '골리앗' 인형을 떼어 접는 선대로 접고 풀로 고정해 다윗의 맞은편에 세우라고 한다.

❸ 포일을 뭉쳐 만든 '조약돌'을 다윗의 물매 위에 올려놓은 뒤 손가락으로 튕겨 골리앗을 쓰러뜨려 보라고 한다.

인도자 다윗은 거인 골리앗을 이길 수 있는 사람처럼 보이지 않았어요. 하지만 다윗은 하나님을 믿고 의지했어요. **하나님은 다윗에게 골리앗을 무찌를 수 있는 힘을 주셨어요.** 예수님도 사람들을 구원할 수 있는 분처럼 보이지 않았어요. 하지만 예수님은 십자가에서 죽으시고 다시 살아나셔서 사람들을 죄에서 구원할 수 있는 능력을 보여 주셨어요.

골리앗의 키를 재 보아요 ＊

준비물 ▶ 줄자, 색 테이프, 가위

❶ 아이들에게 골리앗의 키를 가리키는 '6규빗'(약 290cm)이 얼마나 되는지 재 보자고 말한다.

　tip 성경에서 길이를 재는 단위인 '규빗'은 어른 팔꿈치에서부터 가운뎃손가락 끝까지의 길이를 말하는데, 보통은 45cm쯤 된다고 아이들에게 이야기해 준다.

❷ 색 테이프를 길게 늘어뜨린 상태에서 줄자를 대고 290cm를 재고 가위를 이용해 자른다.

❸ 예배실 한쪽 벽에 ❷를 붙이고, 아이들에게 골리앗의 키와 자신의 키를 비교해 보라고 한다.

　tip ❷를 바닥에 붙여 놓은 뒤 아이들을 이어서 눕혀 골리앗의 키와 같아지려면 몇 명의 아이들이 필요한지 알아보는 것도 좋다.

인도자 다윗과 같은 소년은 혼자 힘으로는 절대로 골리앗을 이길 수 없을 거예요. 하지만

하나님은 다윗에게 골리앗을 무찌를 수 있는 힘을 주셨어요. 다윗이 하나님을 믿고 의지하자, 하나님이 그를 사용해 하나님의 백성을 블레셋이라는 적에게서 구하셨어요. 훗날 하나님은 예수님을 사용해 하나님의 백성을 구원하셨어요. 예수님은 십자가에서 죽으시고 다시 살아나셔서 사람들을 죄에서 구원하셨답니다.

막내부터 맏이까지 서 보아요 ✱

❶ 아이들에게 각자의 생일을 적은 쪽지를 한 장씩 나누어 준다.

　　tip 　한 주 전에 부모님들께 아이들의 생일을 물어보거나 등록 카드를 활용한다.

❷ 아이들을 한 줄로 길게 세운 뒤 ❶을 보면서 빨리 태어난 순서대로 줄을 세운다.

❸ 누가 가장 막내이고, 누가 가장 맏이인지 아이들에게 이야기해 준다.

　　인도자 사무엘은 이새의 큰아들이 하나님이 선택하신 새 왕이라고 생각했어요. 키가 크고 잘생겼기 때문이었지요. 하지만 하나님은 사무엘에게 사람의 겉모습을 보지 말라고 말씀하셨어요. 우리는 다른 사람의 겉모습만 보기가 쉬워요. 하지만 하나님은 사람의 마음을 보세요. 하나님은 이새의 막내아들인 다윗을 이스라엘의 새로운 왕으로 선택하셨어요. **하나님은 다윗에게 골리앗을 무찌를 수 있는 힘을 주셨어요.**

내 얼굴을 그려 보아요 ✱

❶ 아이들에게 거울 속 자신의 얼굴을 관찰하면서 특징을 말해 보자고 한다.

❷ 흰색 도화지에 색연필과 사인펜을 이용해 거울 속 내 모습을 그림으로 표현해 볼 수 있도록 지도한다.

❸ 아이들이 활동하는 동안 아이들 한 명, 한 명의 내면의 아름다운 성품을 칭찬해 준다.

　　인도자 멋지고 예쁜 얼굴이네요! 하나님이 창조하신 아름다운 우리의 얼굴을 잘 표현했어요. 그런데 하나님은 우리의 눈에 보이지 않는 생각이나 마음도 창조하셨어요. 겉보기에 다윗은 거인과 싸워 이길 만한 사람 같지 않았어요. 하지만 다윗은 하나님을 믿고 의지하는 마음을 가졌어요. **하나님은 다윗에게 골리앗을 무찌를 수 있는 힘을 주셨어요.** 하나님은 우리의 마음이 어떤지를 보세요. 하나님을 사랑하고 친구들을 사랑하는 마음이야말로 하나님이 가장 아름답고 멋지게 생각하시는 모습이랍니다.

준비물 ▶ 작은 빵 조각, 올리브오일, 접시

❶ 카운트다운 영상, 정리하기 노래 등을 활용해 활동이 끝났음을 알린다. 아이들에게 주변을 정리하게 하고, 화장실에 가거나 물티슈 등을 이용해 손을 씻을 시간을 준다.

❷ 감사 기도를 드리고 작은 빵 조각과 접시에 담은 올리브오일을 간식으로 나누어 준다. 아이들이 빵을 올리브오일에 찍어 먹을 수 있도록 지도한다. 사무엘은 다윗의 머리에 기름을 부어 하나님이 그를 새 왕으로 선택하셨다는 사실을 다윗에게 알려 주었다고 이야기해 준다. 그때 다윗의 머리에 부은 기름이 바로 우리가 빵을 찍어 먹는 올리브오일이라고 말해 준다. 다윗의 겉모습은 왕이 될 사람처럼 보이지 않았지만, 사람의 마음을 보시는 하나님이 다윗을 새 왕으로 선택해 기름을 부으셨다고 다시 한 번 말해 준다.

❸ 간식을 먹은 후 마무리 정리를 잘하도록 지도한다.

준비물 ▶ 유치부 교재 37쪽 메시지 카드, 소그룹 활동지, 파일

❶ 이번 주 메시지 카드로 부모님과 함께 오늘 배운 성경 이야기를 나누어 보라고 한다.

가족과 활동해요

• 인터넷으로 전쟁터의 모습을 찾아보세요. 하나님이 모든 전쟁을 다스리고 계신다는 것과 언젠가 예수님이 이 땅에 영원한 평화를 주실 것이라는 사실에 관해 이야기를 나누어 보세요.

❷ 소그룹 활동지를 떼어 파일에 끼우고 가방에 정리하게 한다.

❸ 아이들을 위해 기도한다.

> **인도자** 전능하신 하나님, 하나님은 하나님의 계획을 이루기 위해 연약한 사람들을 사용하신다는 것을 배웠어요. 예수님을 보내 우리처럼 연약한 사람을 죄에서 구원해 주셔서 감사해요. 하나님이 주시는 힘으로 살아가게 도와주세요. 예수님의 이름으로 기도합니다. 아멘.

❹ 아이를 데리러 온 부모에게 아이가 특별히 즐거워했거나 잘했던 활동들에 대해 이야기해 주고, 가정에서 성경 읽기와 가족 활동을 진행할 수 있도록 격려한다.

 **나만의 기록장**

다윗의 조약돌과 물매 그리기

다윗과 요나단이 친구가 되었어요

[삼상 18:1~12, 19:1~10, 20:1~42]

주제 하나님은 다윗에게 친구를 주셨어요.

예수님 생각하기 다윗과 요나단은 아주 좋온 친구였어요. 예수님은 우리를 '친구'라고 불러 주세요 (요 15:15). 예수님보다 더 좋은 친구는 없어요. 예수님은 우리를 죄에서 구원하기 위해 자신의 생명을 내어 줄 만큼 우리를 사랑하세요.

단원 암송 시 47:7~8

성경의 초점 우리의 왕은 누구인가요?
예수님이 우리의 영원한 왕이세요.

다윗이 블레셋의 장수 골리앗을 쓰러뜨린 후, 사울의 아들 요나단은 다윗에게 마음이 끌렸습니다. 그는 다윗을 자기 목숨처럼 사랑했습니다. 요나단은 왕의 자리를 물려받을 수 있는 왕의 아들입니다. 그런 그가 다윗에게 자신의 겉옷과 군복, 칼과 활과 허리띠까지 준 것을 보면, 그는 다윗이 이스라엘의 다음 왕으로 하나님이 세우신 사람이라는 것을 알았던 것 같습니다.

다윗은 사울이 맡긴 일을 지혜롭게 행했고, 곧 이스라엘 군대의 장관이 되었습니다. 다윗과 군대가 블레셋 사람들을 무찌르고 사울과 함께 돌아오자 많은 사람이 노래하고 춤추며 그들을 환영했습니다. 여인들은 "사울이 죽인 자는 천천이요 다윗은 만만이로다"(삼상 18:7)라고 노래했습니다.

이 말에 화가 난 사울은 다윗을 질투했고 다윗을 죽이려고 두 번이나 창을 던졌지만 모두 실패했습니다. 그러자 신하들과 아들 요나단에게 다윗을 죽이라고 명령을 내렸습니다. 그러나 다윗을 사랑하는 요나단은 그를 죽이지 말라고 사울에게 애원했습니다. 사울은 "여호와께서 살아 계심을 두고 맹세하거니와 그가 죽임을 당하지 아니하리라"(삼상 19:6)라고 약속했습니다.

얼마 후, 사울이 또다시 나쁜 영에 시달리게 되자 다윗이 사울 곁에서 수금(하프)을 연주했습니다. 그때 갑자기 사울이 창을 던져 다윗을 죽이려고 했습니다. 재빨리 몸을 피한 다윗은 사울에게서 도망쳤습니다. 사무엘상 20장을 보면 절망한 다윗이 요나단을 찾아가 이렇게 말합니다. "네 아버지 앞에서 내 죄가 무엇이기에 그가 내 생명을 찾느냐"(삼상 20:1). 요나단은 아버지 사울이 다윗을 죽이려고 한다는 사실을 믿기 어려웠습니다. 그래서 그들은 사울의 진심을 알아보기로 했습니다.

초하루가 되어 사울과 함께 저녁 식사 자리에 앉은 요나단은 사울이 진심으로 다윗을 죽이고 싶어 한다는 것을 알게 되었습니다. 그는 다윗에게 이 소식을 전했고, 두 친구는 진심으로 슬퍼하며 서로 헤어졌습니다.

● ● 티칭 포인트

아이들에게 요나단이 다윗을 위해 어떤 일을 했는지 알려 주십시오. 왕의 아들이었던 요나단은 왕이 될 권한을 내려놓았고, 다윗을 위해 아버지에게 호소했으며, 결국에는 자신의 목숨까지 내어놓았습니다. 요나단의 인생은 죄인들의 위대한 친구이신 예수님을 생각나게 합니다. 예수님은 하늘의 보좌를 버리고 우리에게 오셨고, 우리를 구원하기 위해 목숨을 포기하셨으며, 지금도 우리를 위해 하나님께 호소하고 계심을 알려 주십시오.

다윗과 요나단이 친구가 되었어요

삼상 18:1~12, 19:1~10, 20:1~42

다윗은 영웅이었어요! 조약돌과 물매만 가지고 골리앗을 물리쳤으니까요. 블레셋에서도 가장 힘세고 키가 큰 장수였던 골리앗을 말이에요. 이제 다윗은 사울왕의 궁전에서 살게 되었어요. 사울왕에게는 요나단이라는 아들이 있었어요. 다윗과 요나단은 아주 친한 친구가 되었어요. 요나단은 다윗에게 자신의 겉옷, 군복, 칼, 활, 허리띠까지 모두 선물해 주었어요.

다윗은 사울왕이 내리는 명령이라면 무엇이든 해 냈어요. 그것도 아주 훌륭하게 해 냈지요! 그러자 사울은 다윗을 군대의 높은 자리에 앉혔어요. 하지만 사울왕은 요나단처럼 다윗을 사랑하지 않았어요. 오히려 백성에게 너무 많은 사랑을 받는 다윗이 미워서 질투했지요. 그래서 사울왕은 다윗을 죽게 하려고 했어요. 이 사실을 알게 된 요나단은 다윗에게 숨으라고 말했어요.

다음 날 아침, 요나단이 아버지 사울왕에게 물었어요. "아버지, 왜 다윗을 죽이려고 하십니까? 다윗은 아버지에게 도움이 되는 일만 했습니다." 이 말을 들은 사울은 다윗을 해치지 않겠다고 약속했어요. 요나단은 다윗에게 이 기쁜 소식을 전했고, 다윗은 왕궁으로 돌아와 예전처럼 사울을 섬겼어요.

그러나 사울왕의 약속은 그리 오래가지 않았어요. 얼마 후, 다윗이 사울을 위해 수금(하프)을 연주하고 있을 때였어요. 갑자기 사울이 다윗에게 창을 던진 거예요. 창은 빗나갔고, 다윗은 재빨리 도망쳤어요. 다윗은 요나단을 찾아가 자기에게 일어난 일을 이야기했어요. 요나단은 믿을 수가 없었지요.

요나단은 다윗에게 "내가 어떻게 도우면 되겠니?"라고 물었어요. 다윗은 요나단에게 한 가지 계획을 말했어요. "내일 사울왕과 함께 특별한 저녁 식사를 하기로 되어 있습니다. 하지만 저는 거기에 가지 않고 숨어 있겠습니다. 만약 사울왕이 제가 어디 있는지 물으시거든 허락을 받고 급히 베들레헴으로 갔다고 말해 주십시오. 그때 왕이 화를 내시면 저를 해치려는 생각인 것으로 아십시오." 요나단은 사울의 생각을 다윗에게 알려 주기 위해 신호를 보내기로 약속했어요.

요나단은 아버지와 특별한 식사를 하기 위해 갔어요. 사울은 식탁에 앉자 다윗을 찾았어요. "다윗이 어디 있느냐?" 요나단은 다윗이 자기 허락을 받고 베들레헴에 갔다고 대답했어요. 그 말을 들은 사울은 몹시 화를 내며 소리를 질렀어요. "다윗은 죽어야 된다!" 요나단이 물었어요. "왜 나윗이 죽어야 합니까? 다윗이 대체 무슨 잘못을 했습니까?" 그러자 사울은 요나단에게 창을 던졌어요. 요나단은 아버지가 친구 다윗을 해치려고 하는 것이 너무 슬펐어요.

다음 날 아침, 요나단은 하인과 함께 다윗이 숨어 있는 들판으로 갔어요. 요나단은 사울이 다윗을 해치려고 한다는 신호를 보냈어요.

요나단이 하인을 돌려보내자 다윗이 숨어 있던 곳에서 나왔어요. 다윗과 요나단은 울면서 작별 인사를 했어요. 요나단은 다윗에게 "잘 지내게"라고 말했어요. 다윗과 요나단은 비록 지금은 헤어지지만, 어떤 일이 있어도 좋은 친구로 남기로 약속했어요.

● ● 예수님 생각하기

다윗과 요나단은 아주 좋은 친구였어요. 예수님은 우리를 '친구'라고 불러 주세요(요 15:15). 예수님보다 더 좋은 친구는 없어요. 예수님은 우리를 죄에서 구원하기 위해 자신의 생명을 내어 줄 만큼 우리를 사랑하세요.

가스펠
준비

싱글벙글 ─── 환영해요

"우리의 왕"(지도자용 팩)을 튼다. 아이들을 반갑게 맞이하며 헌금과 기도를 도와준다. 예배 중 헌금 순서가 있다면 아이들이 헌금을 잘 간수하도록 돕는다. 가방과 외투를 정리하도록 안내한다. 새로 온 아이가 있다면 음수대와 화장실의 위치를 알려 주고, 보호자와 만나는 시간과 방법 등을 소개한다. 보호자들을 위한 안내문을 붙여 아이와 만나는 시간, 기다리는 장소, 헌금 방법, 아이에 대한 특별한 주의 사항을 교사에게 미리 알려 주기 등을 공지한다.

너랑 나랑 ─── 마음 열기

주제와 관련 있는 퍼즐이나 블록 등 아이들이 좋아하는 장난감을 몇 가지 비치해 두고 다양한 활동을 하며 예배를 준비하도록 돕는다. 아이들이 마음을 열고 오늘의 주제에 관심을 갖게 하며 예배에 집중할 수 있도록 도와준다. 교회 형편에 맞게 시간과 활동 방법을 조절한다.

친구 노래를 불러요 * 준비물 ▶ 콩 주머니(볼풀 공)

❶ 아이들과 함께 마주 보고 둥글게 앉는다.

❷ "좋으신 하나님" 찬양을 부르되, 마주 보고 앉은 아이들 중 한 명의 이름을 부를 수 있는 가사로 개사해 여러 번다 함께 불러 본다.

예) "좋은 친구가 있어요 / 그건 바로 ○○○예요 / 친-구를 주신 / 하나님 감사해요!" 등.

❸ 인도자가 먼저 이름을 넣어 노래를 부른 후 해당하는 아이에게 콩 주머니를 사뿐히 던진다. 콩 주머니를 맡은 아이는 다른 친구의 이름을 넣어 노래를 부른 후 콩 주머니를 던진다.

❹ 모든 친구의 이름이 불릴 때까지 활동을 반복한다.

> **인도자** 친구는 하나님의 선물이에요. 누구나 친구가 필요해요. 오늘의 성경 이야기에서 **하나님은 다윗에게** 아주 좋은 **친구를 주셨어요.** 다윗의 좋은 친구는 자기가 가진 모든 것을 다윗에게 주었고, 다른 사람이 다윗을 해치려고 할 때 보호해 주었어요. 이렇게 좋은 친구가 누구인지 성경 이야기를 잘 들어 보세요.

스티로폼 막대기를 던져 보아요 * 준비물 ▶ 스티로폼 막대기(백업, 가위), 컬러 박스 테이프

❶ 예배실 바닥에 컬러 박스 테이프를 이용해 던지는 선을 표시한다.

❷ 아이들을 던지는 선 뒤로 약 1m 떨어진 곳에 옆으로 길게 한 줄로 세운다.

❸ 아이들에게 스티로폼 막대기를 하나씩 나누어 주고, 선을 밟지 않고 가능한 멀리 던지라고 한다.

❹ 누가 가장 멀리 던졌는지 확인한다.

> **인도자** 스티로폼 막대기를 던져 보니 재미있었지요? 오늘의 성경 이야기에서 사울왕은 창을 던졌어요. 그런데 재미로 던진 것이 아니었어요. 누구를 해치려고 던졌답니다! 사울왕은 왜, 그리고 누구를 죽게 하려고 했을까요? 이제 질문의 답을 알아보아요.

예배 대형으로 모이기

- 카운트다운 영상, 모이기 노래 등을 활용해 예배 대형으로 바꾸고 마음을 준비하게 한다.
- 공간을 이동해야 한다면 친구와 둘씩 짝을 지어 손잡고 가도록 한다.

가스펠 설교

들어가기

여러분의 가장 좋은 친구는 누구인가요? 여러분은 어떤 사람을 친구라고 생각하나요? 아이들의 대답을 기다린다. 오늘의 성경 이야기에는 2명의 좋은 친구가 나와요. 바로 다윗과 요나단이지요. 요나단은 어려움에 처한 친구 다윗을 도와주었어요. 이제 두 친구에 대한 자세한 이야기를 들어 보아요.

성경 이야기

사무엘상 18~20장을 편다. 설교 영상(지도자용 팩)을 보여 주거나 이야기 성경을 들려준다.

성경은 진짜예요. 성경에는 하나님의 말씀이 들어 있어요. 오늘의 성경 이야기는 '사무엘상'에 나와요.

메시지와 정리

하나님은 다윗에게 친구를 주셨어요. 요나단은 다윗의 좋은 친구였지요. 그는 사울왕이 다윗을 해치려고 할 때 다윗을 지켜 주었어요.

연대표(지도자용 팩)를 가리키면서 복습 질문을 한다.

1. 오늘의 성경 이야기에 나오는 두 친구의 이름은 무엇인가요? 다윗과 요나단
2. 사울왕은 왜 다윗을 미워했나요? 백성이 다윗을 너무 좋아해서
3. 다윗이 특별한 저녁 식사 자리에 나타나지 않자 사울왕은 어떻게 했나요? 화를 냈다
4. 요나단은 아버지 사울왕이 다윗을 해치려고 한다는 것을 숨어 있는 다윗에게 어떻게 알려 주었나요? 신호를 보냈다
5. 다윗과 요나단은 어떻게 작별 인사를 했나요? 울면서 인사했다

넷 — 성경의 초점

여러분도 왕과 친구가 될 수 있다는 사실을 알고 있나요? **"우리의 왕은 누구인가요?"**, **"예수님이 우리의 영원한 왕이세요."** 예수님은 왕이시지만 우리의 친구가 되어 주세요. 사실 예수님은 요나단보다 훨씬 더 좋은 친구세요. 예수님은 우리를 죄에서 구원하기 위해 자신의 생명을 내어 줄 만큼 우리를 사랑하시기 때문이에요.

다섯 — 복음 초청

성경과 36쪽 복음 초청 가이드를 이용해서 아이들에게 그리스도인이 되는 법을 설명해 준다. 따로 상담해 줄 사람을 정해 주고 궁금한 점이 있으면 물어보도록 격려한다.

이 시간 예수님을 믿고 마음에 모시고 싶은 친구는 함께 기도해요.

여섯 — 기도

하나님, 예수님이 우리의 친구가 되게 해 주셔서 감사드려요. 우리를 죄에서 구원해 주기 위해 십자가에서 죽으신 예수님보다 더 좋은 친구는 없어요. 우리에게 언제나 가장 좋은 것만 주시는 하나님, 가장 귀한 선물인 예수님을 보내 주셔서 감사드려요. 예수님의 이름으로 기도합니다. 아멘.

일곱 — 암송송

성경에서 시편 47편 7~8절을 펴고 큰 소리로 여러 번 따라 읽게 한다.

하나님은 이 세상 전부를 다스리세요. 하나님은 자기 백성을 보호하시고, 필요한 것을 주세요. 여러분이 좋아하는 놀이들도, 사랑하는 가족도, 아름다운 풍경도 다 하나님이 주신 거예요. 하나님은 우리의 찬양을 받으실 만한 좋은 왕이세요.

암송송(160쪽)에 맞추어 손유희를 하며 말씀을 익힌다.

"하나님은 온 땅의 왕이심이라 지혜의 시로 찬송할지어다 하나님이 뭇 백성을 다스리시며 하나님이 그의 거룩한 보좌에 앉으셨도다"(시 47:7~8).

tip 전체 구절 암송이 어려운 경우에는 표시 부분을 발췌해 외워도 좋다.

가스펠 소그룹

좋은 친구가 되어요!

준비물 ▶ 유치부 교재 10쪽, 색연필, 연필

이야기 나누기
- 다윗에게는 요나단이라는 친구가 있었어요. 위험에 빠진 다윗에게 요나단은 어떤 도움을 주었나요?
- 하나님은 우리에게 언제나 함께하시는 친구를 보내 주셨어요. 누구이신가요?

❶ 그림을 하나하나 보면서 어떤 상황인지 살펴보고 '좋은 친구'에 ○표 하라고 한다.

❷ 다윗에게는 요나단이라는 좋은 친구가 있었다고 말해 주고, 나는 어떻게 하면 내 친구에게 좋은 친구가 되어 줄 수 있을지 친구들과 이야기를 나누어 보도록 지도한다.

❸ 하트 칸에 하나님이 주신 가장 소중한 친구 예수님이 나와 함께하시는 장면을 그려 보게 한다.

> **인도자** 친구는 서로 사랑하고 도와요. 오늘의 성경 이야기에서 다윗과 요나단이라는 두 친구에 대해 배웠어요. **하나님은 다윗에게 친구를 주셨어요.** 다윗이 위험에 빠지자 요나단이 다윗을 지켜 주었지요. 다윗과 요나단처럼 예수님도 우리에게 오셔서 우리의 친한 친구가 되어 주셨어요. 예수님은 누구보다 멋진 친구세요. 우리를 죄에서 구원하기 위해 자신의 생명을 아낌없이 내어 줄 만큼 우리를 사랑하시기 때문이에요.

블록 놀이터를 만들어요 ✱

준비물 ▶ 블록, 작은 인형

❶ 아이들에게 친구들과 힘을 합해 블록으로 놀이터를 만들어 볼 것이라고 이야기한다.

❷ 미끄럼틀, 그네, 시소 등 만들고 싶은 놀이터 기구를 떠올리며 서로 이야기를 나누어 보고 무엇을 만들지 정하라고 한다.

❸ 아이들이 구상한 놀이터를 다 만들면 작은 인형을 주어 역할 놀이를 하게 한다.

> **인도자** 블록 놀이터를 친구들과 사이좋게 잘 만들었어요! 놀이터는 친구들과 함께 놀기에 참 좋은 곳이에요. 다윗과 요나단은 사울왕의 궁전에서 함께 살았어요. 두 사람은

아마 많은 시간을 함께 보냈을 거예요. **하나님은 다윗에게** 요나단이라는 **친구를 주셨어요.** 다윗과 요나단은 아주 좋은 친구였어요. 예수님은 우리를 '친구'라고 불러 주세요(요 15:15). 예수님보다 더 좋은 친구는 없어요. 예수님은 우리를 죄에서 구원하기 위해 자신의 생명을 내어 줄 만큼 우리를 사랑하세요.

가장 좋은 친구는? ＊ 준비물 ▶ 어린이용 잡지, 가위, 풀, 흰색 도화지, 사인펜

❶ 어린이용 잡지를 나누어 주고 어린이 이미지(사진이나 그림)가 나오면 가위로 오리라고 한다.

    `tip` 연령대가 낮은 경우 어린이 이미지를 미리 잘라 둔다.

❷ 어린이 이미지를 펼쳐 놓고 가장 마음에 드는 이미지 한 장을 고르게 한다.

❸ 흰색 도화지에 ❷를 풀로 붙이라고 한다.

❹ 아이들이 활동하는 동안 인도자는 어떤 친구가 좋은 친구라고 생각하는지 아이들 한 명, 한 명에게 물어보고, 작품 위에 써 준다.

> **인도자** 하나님은 우리를 사랑하셔서 우리에게 친구를 주셨어요. 좋은 친구는 우리를 사랑하고, 우리의 말을 들어 주고, 우리와 함께 놀고, 우리를 아끼고, 자신이 소중하게 여기는 것을 우리에게 나눠 주는 사람이에요. **하나님은 다윗에게 친구를 주셨어요.** 다윗과 요나단은 아주 좋은 친구였지요. 그런데 좋은 친구가 누구인지 알고 있나요? 최고로 좋은 친구이신 예수님을 알려 주는 친구예요. 예수님은 우리 친구들이 우리를 위해 해 줄 수 있는 것들보다 훨씬 더 많은 일을 해 주신답니다. 예수님은 우리를 죄에서 구원하기 위해 자기 생명을 내어 줄 만큼 우리를 사랑하세요.

친구와 함께 그림을 그려요 ＊ 준비물 ▶ 흰색 도화지, 수채화 물감, 일회용 접시, 붓, 사인펜

❶ 일회용 접시에 각각 수채화 물감 한 가지 색을 짜서 준비해 둔다.

❷ 아이들을 2명씩 짝을 지은 후 친구와 한 팀이 되어 흰색 도화지 한 장에 함께 그림을 그릴 텐데 무슨 그림을 그릴지 이야기를 나누어 보라고 한다.

❸ ❶과 흰색 도화지, 붓을 나누어 주고 함께 그림을 그릴 수 있도록 지도한다.

❹ 그림이 완성되면 안전한 곳에 말려 두고, 다 마르면 4과의 주제("하나님은 다윗에게 친구를 주셨어요")를 적어 준다.

> **인도자** **하나님은 다윗에게 친구를 주셨어요.** 다윗과 요나단은 서로 힘을 합해 사울의 위협으로부터 도망칠 계획을 세웠어요. 예수님은 우리를 '친구'라고 부르세요. 예수님은 세상에서 가장 멋진 친구세요. 예수님은 우리를 죄에서 구원하기 위해 자신의 생명을 내어 줄 만큼 우리를 사랑하세요.

친구를 초대해요 *

❶ 아이들에게 친구를 집에 초대할 때 집에 놀러온 친구가 사랑받고 환영받고 있다는 느낌을 갖게 하려면 어떻게 해야 하는지 물어본다.

예) 어른들에게 인사시키기, 맛있는 간식 대접하기, 장난감 양보하기, 친구가 하고 싶어 하는 놀이 하기, 화장실이 어디 있는지, 물을 어디서 먹을 수 있는지 알려 주기, 친구가 힘들어할 때 잠시 쉬게 해 주기 등.

❷ 아이들을 2명씩 짝을 지은 후 서로를 자기 집에 초대한 것처럼 역할극을 해 보라고 한다. ❶에서 나누었던 것들을 실천해 보라고 한다.

❸ 활동을 마무리하면서 초대한 친구를 잘 대접했을 때 어떤 느낌이었는지, 반대로 친구의 집에 초대되었을 때 친구의 대접을 받고 어떤 느낌이었는지 이야기를 나누어 본다.

> **인도자** 다윗은 사울왕의 궁전에서 살면서 사울왕의 아들인 요나단과 친구가 되었어요. **하나님은 다윗에게 친구를 주셨어요.** 친구는 하나님의 선물이에요. 예수님은 세상에서 가장 멋진 친구세요. 예수님은 우리를 죄에서 구원하기 위해 자신의 생명을 내어 줄 만큼 우리를 사랑하세요. 우리가 예수님을 믿고 의지하면 예수님은 우리를 '친구'라고 부르신답니다.

우정 간식을 만들어요 *

> **준비물 ▶** 큰 볼, 나무 숟가락, 간식(시리얼, 미니 마시멜로우, 건포도, 견과류, 초콜릿 칩, 한 입 크기의 크래커 등), 지퍼백, 국자

❶ 한 아이당 하나의 간식을 나누어 주고 차례대로 볼에 부으라고 한다.

❷ 한 아이가 재료를 넣으면 오른쪽에 앉은 아이가 나무 숟가락으로 섞으면 된다고 말해 준다.

❸ 아이들이 가지고 있는 간식을 다 섞고 나면 국자를 이용해 지퍼백에 나누어 담아 '우정 간식'을 만들어 하나씩 선물해 준다.

tip 간식의 양을 2배로 준비해 아이들마다 2봉지씩 받아 집에 돌아가 친구에게 나눠 주라고 해도 좋다.

> **인도자** 우리가 가진 간식들을 한데 담아 친구들과 나누어 가져 보았어요. **하나님은 다윗에게** 요나단이라는 **친구를 주셨어요.** 요나단은 자기가 가진 것들을 다윗과 나누었지요. 요나단은 자기 겉옷, 군복, 칼, 활, 그리고 허리띠까지 모두 다윗에게 주었어요. 예수님도 우리의 친구가 되어 주시고 예수님이 가지신 것을 우리에게 나눠 주셨지요. 예수님은 우리를 죄에서 구원하기 위해 자신의 생명을 내어 주셨어요.

간식

❶ 카운트다운 영상, 정리하기 노래 등을 활용해 활동이 끝났음을 알린다. 아이들에게 주변을 정리하게 하고, 화장실에 가거나 물티슈 등을 이용해 손을 씻을 시간을 준다.

❷ 감사 기도를 드리고 '알콩달콩 말씀 놀이' 중 '우정 간식을 만들어요'를 활동하면서 만든 '우정 간식'을 꺼내 요구르트와 함께 먹을 수 있도록 지도한다. 아이들이 간식을 먹는 동안 사울왕이 다윗을 특별한 저녁 식사 자리에 초대했던 이야기를 다시 한 번 들려준다. 다윗이 왜 식사 자리에 가지 않았는지 그 이유를 떠올려 보고, 하나님은 다윗에게 요나단이라는 좋은 친구를 주셨다고 말해 준다.

❸ 간식을 먹은 후 마무리 정리를 잘하도록 지도한다.

마무리

❶ 이번 주 메시지 카드로 부모님과 함께 오늘 배운 성경 이야기를 나누어 보라고 한다.

가족과 활동해요

• 친구의 우정에 감사하는 마음을 담아 감사 쪽지를 쓰거나 감사 그림을 그려 보세요.
• 친구에게 전화하거나 편지를 써서 어떻게 기도해 주면 좋을지 물어보고, 가족과 함께 기도해 주세요.
• 친구의 가족과 함께 공원에서 놀거나, 소풍을 가거나, 동물원에 가 보세요.

❷ 소그룹 활동지를 떼어 파일에 끼우고 가방에 정리하게 한다.

❸ 아이들을 위해 기도한다.

> **인도자** 하나님, 우리를 사랑해 우리에게 친구를 주셔서 감사해요. 우리 역시 우리 친구들에게 좋은 친구가 될 수 있도록 도와주세요. 그리고 최고로 멋진 친구이신 예수님을 보내 주셔서 감사해요. 예수님이 우리를 친구라고 부르시고, 예수님의 생명을 우리를 위해 내어 주시다니, 얼마나 큰 선물인지 몰라요! 정말 감사하고 사랑해요. 예수님의 이름으로 기도합니다. 아멘.

❹ 아이를 데리러 온 부모에게 아이가 특별히 즐거워했거나 잘했던 활동들에 대해 이야기해 주고, 가정에서 성경 읽기와 가족 활동을 진행할 수 있도록 격려한다.

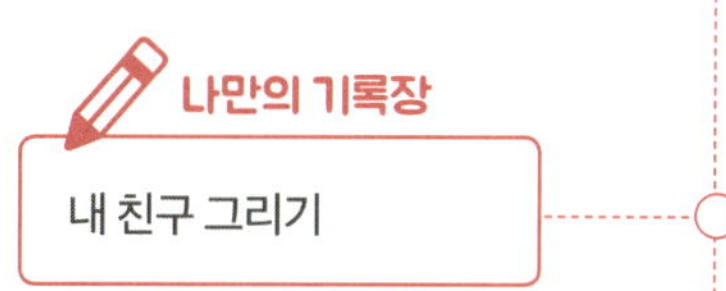

나만의 기록장

내 친구 그리기

유치부의 첫인상 _ 신뢰도에 영향을 미치는 요인들

유치부 사역자들은 자신의 부서가 건강하게 성장하기를 바랄 것입니다. 또한 교회 공동체와 부모들의 신뢰와 중보를 기대할 것입니다. 다음 질문에 답하며 유치부 사역의 성장 가능성을 방해하는 몇 가지 요인들을 점검해 보십시오.

1. 유치부실의 청소가 잘 되어 있습니까?

보기에 깨끗하고 냄새도 산뜻합니까? 지저분한 잡동사니들이 쌓여 있지는 않습니까? 누구나 자기 자녀를 더러운 방이나 더러워 보이는 장소에 맡기고 싶어 하지 않습니다. 아이들에게 위험한 물건이나 오랫동안 사용하지 않은 잡동사니가 쌓인 창고가 되지 않도록 주의해야 합니다.

2. 부모와 아이들이 환영받고 있습니까?

교회를 처음 방문한 부모와 아이들이 교회 주차장이나 교회 정문, 예배실 입구에서 환영받고 있습니까? 교회의 안내 위원들이 유치부실의 위치와 예배 시간을 잘 알고 있습니까? 유치부실 입구에서 교사가 아이들을 맞이하고 있습니까? 보호자와 긴급 연락을 취하는 방법과 아이들을 인계하는 방법 등을 안내하고 있습니까?

3. 신원이 보장된 성인 보조 교사가 있습니까?

아이들의 인원에 비례해 적절한 숫자의 보조 교사가 있어야 아이들과 교사들, 그리고 교회가 보호받을 수 있습니다.

4. 교육 계획에 대한 안내문이 있습니까?

교사들이 공유하고 있는 한눈에 볼 수 있는 교육 목표를 부모와도 공유해 보십시오. 꾸밀 수 있는 환경판이 있다면 교육 계획표나, 아이들의 활동 사진, 활동 작품 등을 게시하는 것도 좋습니다.

5. 음수대와 화장실을 편하게 사용할 수 있습니까?

아이들이 음수대나 화장실을 이용하기가 편리합니까? 아이들이 이동할 때 안전하게 동행할 교사가 준비되어 있습니까?

어떻게 대답하셨나요? 이 질문들에 모두 "예"라고 답했다면 젊은 부모들이 계속 오고 싶어 하는 매력적인 교회가 되는 바른길로 가고 있습니다! 만약 질문 중 하나라도 "아니오"라고 답했다면 스스로에게 질문해 보시기 바랍니다. "우리 교회에 오신 여러분과 여러분의 자녀를 환영합니다. 우리는 준비가 되었습니다. 예수님이 여러분을 소중히 여기시는 것처럼 우리도 여러분과 여러분의 자녀를 소중히 여깁니다"라고 말할 수 있는 방법은 무엇일까요?

이 글을 쓴 랜드리 홈스(Landry Holmes)는 라이프웨이(LifeWay) 어린이 사역부 매니저이며, 테네시에 있는 교회의 유치부와 초등부에서 성경을 가르치고 있습니다.

5 하나님이 다윗과 언약을 맺으셨어요

주제	하나님은 예수님이 다윗의 자손으로 오실 것이라고 약속하셨어요.
예수님 생각하기	하나님은 다윗에게 장차 이스라엘의 모든 왕이 다윗의 자손 중에서 나올 것이라고 약속하셨어요. 하나님은 약속을 지키셨어요. 하나님은 하나님의 아들, 예수님을 다윗의 자손으로 보내셨어요. 예수님은 우리의 왕이세요. 예수님은 지금도 살아 계시며, 하나님의 백성을 위한 영원한 왕이세요.
단원 암송	시 47:7~8
성경의 초점	우리의 왕은 누구인가요? 예수님이 우리의 영원한 왕이세요.

시간이 지나도 다윗의 형편은 크게 나아지지 않았습니다. 사울은 몇 번이나 그를 죽이려 했고, 다윗은 목숨을 부지하기 위해 도망을 다녀야 했습니다. 하지만 다윗을 왕으로 정하신 하나님은 신실한 분이셨습니다. 사무엘하 7장에 앞서 요나단은 블레셋과의 전쟁에서 죽임을 당했습니다. 전쟁에서 패배한 사울 역시 자신의 칼 위로 엎드러져 죽었습니다. 사울이 죽은 후, 다윗이 이스라엘의 왕이 되었습니다. 왕의 자리에 오른 다윗은 이방 나라에 있던 하나님의 궤를 예루살렘으로 가져와 장막 안에 두었습니다.

하나님은 다윗과 그의 나라를 적들로부터 지켜 주셨습니다. 어느 날 다윗이 생각했습니다. 자신은 웅장한 궁전에서 살고 있는데, 하나님의 궤는 장막에 있다니! 다윗은 하나님을 위해 성전을 짓기로 마음먹었습니다. 그날 밤 하나님은 선지자 나단에게 다윗에게 전할 말씀을 주셨습니다. "네가 나를 위하여 내가 살 집을 건축하겠느냐 내가 이스라엘 자손을 애굽에서 인도하여 내던 날부터 오늘까지 집에 살지 아니하고 장막과 성막 안에서 다녔나니"(삼하 7:5~6).

하나님은 양을 치던 목자, 다윗을 이스라엘의 왕으로 만든 분이 곧 하나님이셨음을 기억하게 하셨습니다! 하나님은 이제 이스라엘 백성에게 한곳을 주어 더는 옮겨 다니지 않고 살게 하겠다고 약속하셨습니다. 또한 모든 원수로부터 구해 내어 평안히 살게 하겠다고 약속하셨습니다.

하나님은 당신을 위해 집을 지으려는 다윗의 소원을 허락하지는 않으셨지만, 그 마음을 기쁘게 여기셨습니다. 하나님은 다윗의 집을 세워 주겠다고 약속하셨습니다. "…여호와가 너를 위하여 집을 짓고 네 수한이 차서 네 조상들과 함께 누울 때에 내가 네 몸에서 날 네 씨를 네 뒤에 세워 그의 나라를 견고하게 하리라 그는 내 이름을 위하여 집을 건축할 것이요 나는 그의 나라 왕위를 영원히 견고하게 하리라"(삼하 7:11~13). 하나님이 이스라엘의 왕들이 다윗의 자손 중에서 나올 것이며, 그의 나라가 영원할 것이라고 약속하신 것입니다.

● ● 티칭 포인트

하나님이 다윗과 맺으신 언약을 가르칠 때, 아이들이 영원한 다윗 왕국의 중요성을 이해하도록 도와주십시오. 하나님이 다윗에게 하신 약속은 궁극적으로 그의 가장 중요한 자손이신 예수 그리스도를 통해 성취되었음을 말해 주십시오. "그가 큰 자가 되고 지극히 높으신 이의 아들이라 일컬어질 것이요 주 하나님께서 그 조상 다윗의 왕위를 그에게 주시리니 영원히 야곱의 집을 왕으로 다스리실 것이며 그 나라가 무궁하리라"(눅 1:32~33).

하나님이 다윗과 언약을 맺으셨어요

삼하 7장

하나님은 다윗을 이스라엘의 왕으로 세우셨어요. 원래 사울이 왕이었지만, 이제 다윗이 새로운 왕이 되었어요. 하나님은 하나님의 백성에게 평화를 주셨어요.

어느 날 다윗이 선지자 나단에게 말했어요. "나는 좋은 나무로 만든 왕궁에 살고 있습니다. 그런데 하나님의 궤는 아직도 장막에 있습니다." 다윗이 생각할 때 그것은 옳지 않아 보였어요. 다윗은 하나님을 위해 하나님의 궤를 둘 성전을 짓고 싶었어요. 그래서 나단에게 자신의 계획을 이야기했어요. 나단은 "하나님이 왕과 함께하시니 왕께서 원하시는 대로 하십시오"라고 말했어요.

하지만 하나님은 다윗이 원하는 대로 하기를 바라지 않으셨어요. 그날 밤, 하나님이 나단에게 다윗에게 전할 말씀을 주셨어요. "다윗아, 내가 살 집을 짓고 싶으냐? 내가 내 백성에게 한 일을 생각해 보아라. 나는 그들을 이집트에서 데리고 나왔다. 그들을 이끌 지도자도 주었다. 그들과 함께하는 내내 내 집은 장막이었다. 네가 누구에게 나를 위해 성전을 지어 달라고 한 적이 있느냐?"

하나님은 또 이렇게 말씀하셨어요. "다윗아, 기억하느냐? 너는 예전에 목자였다. 그러나 내가 너를 왕이 되게 했다. 나는 네가 전쟁에서 이기도록 도왔다. 이제 내 백성은 자기 땅에서 전쟁 없이 평화롭게 살고 있다. 다윗아, 내가 약속한다. 너와 네 자손들이 왕이 될

것이다. 네가 죽으면 네 아들들 중 하나가 왕이 될 것이다. 그는 강한 왕이 될 것이며, 아무도 그의 나라를 빼앗지 못할 것이다. 그가 나의 집을 지어 줄 것이다. 내가 그를 사랑하며 결코 그를 떠나지 않겠다. 네 아들이 죽으면, 그의 아들이 뒤를 이어 왕이 될 것이다. 이스라엘의 왕은 항상 너의 자손 중에서 나올 것이다." 나단 선지자는 다윗에게 이 모든 말씀을 전했어요.

다윗은 하나님의 궤를 두기 위해 자신이 세운 장막에 들어갔어요. 하나님의 말씀이 맞았어요. 하나님은 누구에게도 성전을 지어 달라고 요구하신 적이 없었어요. 다윗은 하나님을 위해 성전을 짓고 싶은 마음이 간절했지만, 하나님께 순종하기로 마음먹었어요. 다윗은 하나님 앞에 앉아 기도했어요.

"주 하나님, 저는 하나님이 저를 위해 해 주신 어떤 것도 받을 자격이 없는 자입니다. 그런데도 하나님은 더 큰 일을 하겠다고 약속하셨습니다. 하나님, 하나님은 정말 위대하십니다! 하나님과 같은 분은 이 세상에 없습니다! 하나님은 이스라엘을 하나님의 백성으로 삼으시고, 이집트에서 노예로 살던 그들을 구하셨습니다. 하나님, 부디 저와 제 자손에게 하신 약속을 이루어 주십시오. 하나님은 믿을 수 있는 분이시므로, 약속하신 대로 이루실 것을 믿습니다!"

●● 예수님 생각하기

하나님은 다윗에게 장차 이스라엘의 모든 왕이 다윗의 자손 중에서 나올 것이라고 약속하셨어요. 하나님은 약속을 지키셨어요.

하나님은 하나님의 아들, 예수님을 다윗의 자손으로 보내셨어요. 예수님은 우리의 왕이세요. 예수님은 지금도 살아 계시며, 하나님의 백성을 위한 영원한 왕이세요.

가스펠 준비

싱글벙글  환영해요

"우리의 왕"(지도자용 팩)을 튼다. 아이들을 반갑게 맞이하며 헌금과 기도를 도와준다. 예배 중 헌금 순서가 있다면 아이들이 헌금을 잘 간수하도록 돕는다. 가방과 외투를 정리하도록 안내한다. 새로 온 아이가 있다면 음수대와 화장실의 위치를 알려 주고, 보호자와 만나는 시간과 방법 등을 소개한다. 보호자들을 위한 안내문을 붙여 아이와 만나는 시간, 기다리는 장소, 헌금 방법, 아이에 대한 특별한 주의 사항을 교사에게 미리 알려 주기 등을 공지한다.

너랑 나랑 마음 열기

주제와 관련 있는 퍼즐이나 블록 등 아이들이 좋아하는 장난감을 몇 가지 비치해 두고 다양한 활동을 하며 예배를 준비하도록 돕는다. 아이들이 마음을 열고 오늘의 주제에 관심을 갖게 하며 예배에 집중할 수 있도록 도와준다. 교회 형편에 맞게 시간과 활동 방법을 조절한다.

조용히 해요 ∗

❶ 아이들을 2팀으로 나눈 뒤 어느 팀이 가능한 한 오랫동안, 최대한 조용히 있는지를 겨루는 게임이라고 설명해 준다.

❷ 작은 소리라도 들리면 인도자가 진 팀과 이긴 팀을 가려 발표한다.

❸ 시간 여유가 있으면 활동을 여러 번 반복한다.

> **인도자** '조용히 해요' 게임을 하니 아주 평화롭고 좋네요. 오늘의 성경 이야기에서 하나님은 하나님의 백성에게 평화를 주셨어요. 다윗이 이스라엘의 새로운 왕이 되었고, 이스라엘에서 전쟁이 사라졌어요. 모두가 행복했지요. 평화로운 이스라엘의 이야기를 들어 보아요.

메모리 게임을 해요 ＊

❶ 169쪽 '여러 모양의 집' 그림(또는 지도자용 팩) 두 세트를 복사하거나 프린트해 잘라 둔다.

❷ '여러 모양의 집' 그림을 한 장씩 보여 주면서 설명해 준다.
　예) 왼쪽 위부터 차례로 아파트, 빌라, 움집, 이글루, 성전, 성막, 단독 주택, 이층집 등.

❸ 한 명씩 앞으로 나와 2장의 그림을 동시에 뒤집어 '여러 모양의 집' 그림의 짝을 맞춰 보라고 한다.
　tip 연령대가 낮은 경우 그림이 보이도록 놓고 게임을 진행한다.

❹ 2장의 카드를 맞췄을 경우 그림을 아이에게 선물로 주고, 틀렸을 경우 제자리에 두도록 지도한다.

❺ 모든 그림의 짝을 찾을 때까지 게임을 계속한다.

> **인도자** 정말 다양한 크기와 모양의 집들이 있군요. 오늘의 성경 이야기에서는 하나님의 집인 성전을 짓고 싶어 하는 다윗왕의 이야기를 듣게 될 거예요. 과연 하나님은 다윗이 성전을 짓는 일을 어떻게 생각하셨을까요? 이제 알아보아요.

양몰이 놀이를 해요 ＊

❶ 예배실 바닥 곳곳에 솜뭉치를 흩어 놓고, 한가운데 바구니를 놓아 둔다.

❷ 아이들에게 '목자'의 역할을 맡긴 후 솜은 '양'이고, 바구니는 '양 우리'라고 설명해 준다. 아이들에게 '양'을 모아 '양 우리'에 들이는 게임, 즉 양 치는 게임이라고 알려 준다.

❸ 인도자가 "출발!"을 외치면 시작하고, '양'이 '양 우리'에 다 들어오면 활동을 마무리한다.

> **인도자** 왕이 되기 전에 다윗은 양을 치는 목자였어요. 다윗은 자기 힘으로 왕이 된 것이 아니에요. 수많은 전쟁에서 이긴 것도, 이스라엘을 잘 이끈 것도 다윗의 힘으로 한 일이 아니었지요. 하나님이 다윗을 통해 이 모든 일을 하신 거예요. 하나님께 감사한 다윗은 하나님을 위해 성전을 짓고 싶어 했어요. 하나님은 성전이 필요 없었지만, 다윗의 아들이 성전을 짓게 해 주겠다고 약속하셨어요. 그리고 예수님이 다윗의 자손으로 오실 것이라고 약속하셨어요.

🙂 예배 대형으로 모이기

- 카운트다운 영상, 모이기 노래 등을 활용해 예배 대형으로 바꾸고 마음을 준비하게 한다.
- 공간을 이동해야 한다면 최대한 작은 소리를 내며 사뿐사뿐 걸어서 가도록 한다.

가스펠
설교

들어가기

아이들에게 집이 있는 사진을 보여 주면서 아이들이 사는 집에 대해 설명해 보라고 한다.

하나님은 우리를 사랑하셔서 우리에게 지혜를 주시고, 집을 지을 수 있게 하시고, 거기서 살 수 있게 하셨어요. 오늘의 성경 이야기에서 다윗왕은 자기가 살고 있는 아름다운 집을 보면서 하나님의 궤는 천막에 있다는 사실을 떠올렸어요. 그때 다윗에게 좋은 생각이 떠올랐지요. 무슨 생각인지 궁금하지요?

성경 이야기

사무엘하 7장을 편다. 설교 영상(지도자용 팩)을 보여 주거나 이야기 성경을 들려준다.

성경은 세상에서 가장 특별한 책이에요. 하나님은 성경을 통해 우리에게 말씀하세요. 하나님의 말씀은 모두 진짜예요. 오늘의 성경 이야기는 '사무엘하'에 나와요.

메시지와 정리

다윗은 하나님을 위해 하나님의 집인 성전을 짓고 싶었지만, 하나님은 다윗의 아들이 성전을 지을 것이라고 말씀하셨어요. 하나님은 다윗에게 놀라운 약속을 하셨어요. 이스라엘의 왕은 언제나 다윗의 자손 중에서 나올 것이라는 약속이었지요. 하지만 그보다 더 좋은 약속이 있어요. **하나님은 예수님이 다윗의 자손으로 오실 것이라고 약속하셨어요.**

연대표(지도자용 팩)를 가리키면서 복습 질문을 한다.

1. 다윗은 하나님을 위해 무엇을 하고 싶어 했나요? 하나님께 성전을 지어 드리고 싶어 했다
2. 하나님은 다윗에게 전할 말씀을 누구에게 하셨나요? 나단 선지자
3. 하나님은 누가 성전을 지을 것이라고 말씀하셨나요? 다윗의 아들
4. 하나님은 다윗에게 어떤 약속을 하셨나요? 이스라엘의 왕은 언제나 다윗의 자손 중에서 나올 것이다
5. 다윗은 성전을 지었나요? 아니다, 다윗은 하나님의 말씀에 순종해 성전을 짓지 않았다

넷 — 성경의 초점

하나님은 다윗에게 이스라엘의 왕은 언제나 다윗의 자손 중에서 나올 것이라고 약속하셨어요. 하나님은 약속을 지키셨어요. 하나님은 하나님의 아들이신 예수님도 다윗의 자손으로 태어나게 하셨지요. **"우리의 왕은 누구인가요?"**, **"예수님이 우리의 영원한 왕이세요."** 예수님은 살아 계시고, 우리의 영원한 왕이세요.

다섯 — 복음 초청

성경과 36쪽 복음 초청 가이드를 이용해서 아이들에게 그리스도인이 되는 법을 설명해 준다. 따로 상담해 줄 사람을 정해 주고 궁금한 점이 있으면 물어보도록 격려한다.

이 시간 예수님을 믿고 마음에 모시고 싶은 친구는 함께 기도해요.

여섯 — 기도

하나님, 약속하신 대로 하나님의 아들이신 예수님을 다윗의 자손으로 보내 우리의 죄를 깨끗하게 씻어 주셔서 감사해요. 예수님은 지금도 살아 계신 우리의 영원한 왕이세요. 사랑하는 예수님의 이름으로 기도합니다. 아멘.

일곱 — 암송송

성경에서 시편 47편 7~8절을 펴고 큰 소리로 여러 번 따라 읽게 한다.

하나님이 이 세상을 만드셨어요. 그리고 온 세상을 다스리세요. 이 세상의 왕들과 나라들도 오직 하나님이 허락하실 때만 존재할 수 있어요. 하나님은 온 땅의 왕이세요.

암송송(160쪽)에 맞추어 손유희를 하며 말씀을 익힌다.

"하나님은 온 땅의 왕이심이라 지혜의 시로 찬송할지어다 하나님이 뭇 백성을 다스리시며 하나님이 그의 거룩한 보좌에 앉으셨도다"(시 47:7~8).

tip 전체 구절 암송이 어려운 경우에는 표시 부분을 발췌해 외워도 좋다.

가스펠
소그룹

말씀 놀이

예수님이 다윗의 자손으로 오세요

이야기 나누기
- 하나님은 다윗에게 어떤 약속을 하셨나요?
- 예수님은 누구의 자손으로 오셨나요?

❶ 아이들에게 하나님은 다윗에게 하신 약속을 이루셨다고 말해 준다. 그 약속은 이스라엘의 왕은 언제나 다윗의 자손 중에서 나올 것이라는 약속이었다고 이야기한다.

❷ 왕이 된 다윗의 자손들에게 45쪽 '왕관' 스티커를 떼어 붙이라고 한다.

❸ 다윗의 자손으로 오신 예수님의 얼굴을 그리고 왕관 스티커를 붙여 주라고 한다.

> **인도자** 오늘의 성경 이야기에서 하나님은 다윗에게 이스라엘의 왕은 언제나 다윗의 자손 중에서 나올 것이라고 약속하셨어요. 그리고 **하나님은 예수님이 다윗의 자손으로 오실 것이라고 약속하셨어요.** 하나님은 약속을 지키셨어요. 하나님은 하나님의 아들 예수님을 다윗의 자손으로 태어나게 하셨지요. **우리의 왕은 누구인가요? 예수님이 우리의 영원한 왕이세요.** 예수님은 지금도 살아 계시며, 하나님의 백성을 위한 영원한 왕이세요.

'성경의 초점'을 말해 보아요 ✱

❶ 이이들에게 1단원 '성경의 초점'의 손유희를 시범으로 보여 주고 함께 여러 번 연습한다.

❷ 손유희를 다 익히면 다 함께 1단원의 '성경의 초점'을 손유희를 하며 말해 본다.

　예) • "우리의" : 두 손 펴서 가슴을 교차하며 포갠다.
　　　• "왕은" : 두 손으로 왕관 모양을 만들어 머리 위에 올린다.
　　　• "누구인가요?" : 두 손바닥을 위로 한 채 두 팔꿈치를 옆구리에 대고 어깨를 으쓱하며 궁금하다는 흉내를 낸다.
　　　• "예수님이 우리의" : 오른손 가운뎃손가락을 왼손 손바닥에 살짝 찍어 십자가에 못 박히신 예수님의 손 흉내를

낸다. 바로 손을 바꾸어 한 번 더 한다.

- "영원한" : 두 손 검지만 편 채 어깨 높이로 들어 올려 두 개의 원을 크게 그린다.
- "왕이세요." : 두 손으로 왕관 모양을 만들어 머리 위에 올린다.

인도자 하나님은 다윗에게 장차 이스라엘의 모든 왕이 다윗의 자손 중에서 나올 것이라고 약속하셨어요. 그리고 **하나님은 예수님이 다윗의 자손으로 오실 것이라고 약속하셨어요.** 하나님은 약속을 지키셨어요. 하나님은 하나님의 아들, 예수님을 다윗의 자손으로 보내셨어요. **우리의 왕은 누구인가요? 예수님이 우리의 영원한 왕이세요.** 예수님은 지금도 살아 계시며, 하나님의 백성을 위한 영원한 왕이세요.

확성기로 전달해 보아요 ✱

> **준비물** ▶ 흰색 도화지, 셀로판테이프, 꾸미기 도구(사인펜, 색연필 등), 167쪽 '하나님의 궤' 그림, 가위

❶ 아이들에게 167쪽 '하나님의 궤' 그림을 보여 주고 흰색 도화지에 따라 그릴 수 있도록 지도한다. 꾸미기 도구를 이용해 도화지를 장식한다.

❷ ❶을 고깔처럼 돌돌 말아 셀로판테이프로 붙여서 확성기처럼 만든다. 이때 입을 대는 부분에 지름이 약 2cm 되는 원이 생기도록 고깔의 모양을 조정한다.

❸ 아이들이 확성기를 완성하면 한 명씩 차례로 앞으로 나와 '나단 선지자'가 되어 확성기를 입에 대고 하나님의 말씀을 전하라고 한다.

예) • "하나님은 예수님이 다윗의 자손으로 오실 것이라고 약속하셨어요."

 • "하나님은 다윗에게 장차 이스라엘의 모든 왕이 다윗의 자손 중에서 나올 것이라고 약속하셨어요."

 • "하나님은 다윗의 아들이 성전을 짓게 해 주겠다고 하셨어요."

인도자 다윗은 하나님의 집인 성전을 지어서 하나님의 궤를 장막에서 성전으로 옮기고 싶어 했어요. 하나님은 나단 선지자를 통해 다윗에게 말씀을 전하셨어요. "다윗아, 내가 살 집을 짓고 싶으냐? 내 백성과 함께하는 내내 내 집은 장막이었다. 내가 누구에게 나를 위해 성전을 지어 달라고 한 적이 있느냐?" 그러나 하나님은 다윗의 아들이 성전을 지을 수 있도록 허락해 주셨어요. 하나님은 다윗에게 이스라엘의 왕은 언제나 다윗의 자손 중에서 나올 것이라고 약속하셨어요. 그리고 **하나님은 예수님이 다윗의 자손으로 오실 것이라고 약속하셨어요.**

<h1 style="text-align:center">소곤소곤 꿀~꺽   간식</h1>

❶ 카운트다운 영상, 정리하기 노래 등을 활용해 활동이 끝났음을 알린다. 아이들에게 주변을 정리하게 하고, 화장실에 가거나 물티슈 등을 이용해 손을 씻을 시간을 준다.

❷ 감사 기도를 드리고 막대 과자와 과일 맛 젤리를 간식으로 나누어 준다. 아이들에게 접시에 막대 과자를 기둥처럼 놓고 그 위에 과일 맛 젤리를 지붕처럼 덮어 집을 만들어 보라고 한다. 다윗은 자신은 좋은 집에 사는데 하나님의 궤는 장막에 있다면서 마음 아파했다고 말해 준다. 하나님은 다윗의 아들이 하나님의 성전을 짓도록 허락하셨다고 이야기해 준다.

❸ 간식을 먹은 후 마무리 정리를 잘하도록 지도한다.

<h1 style="text-align:center">오순도순   마무리</h1>

❶ 이번 주 메시지 카드로 부모님과 함께 오늘 배운 성경 이야기를 나누어 보라고 한다.

가족과 활동해요

• 친척들과 함께 시간을 보내세요. 할아버지, 할머니 앞에 앉아 옛이야기를 듣는 시간을 가져 보세요.

❷ 소그룹 활동지를 떼어 파일에 끼우고 가방에 정리하게 한다.

❸ 아이들을 위해 기도한다.

> **인도자** 하나님, 다윗에게 약속하신 대로 예수님을 우리에게 보내 주셔서 감사해요. 하나님은 약속을 지키시는 멋진 분이세요. 예수님은 우리의 영원한 왕이세요. 우리가 왕이신 예수님을 날마다 더욱 사랑하게 해 주세요. 예수님의 이름으로 기도합니다. 아멘.

❹ 아이를 데리러 온 부모에게 아이가 특별히 즐거워했거나 잘했던 활동들에 대해 이야기해 주고, 가정에서 성경 읽기와 가족 활동을 진행할 수 있도록 격려한다.

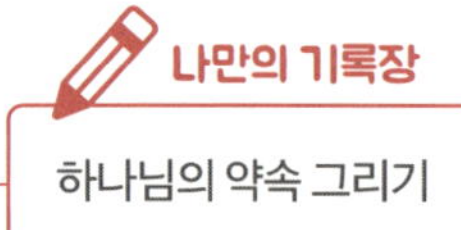

나만의 기록장

하나님의 약속 그리기

6 다윗이 하나님께 죄를 지었어요

[삼하 11:1~12:14; 시 51편]

주제	하나님은 다윗을 용서하셨어요.
예수님 생각하기	하나님은 다윗의 죄를 용서해 주셨어요. 하지만 죄에는 항상 대가가 따르는 법이에요. 우리가 지은 죄의 대가를 치르기 위해 예수님이 우리 대신 십자가에서 죽으셨어요. 우리는 하나님께 잘못했다고 고백하면 용서받을 수 있어요.
단원 암송	시 47:7~8
성경의 초점	우리의 왕은 누구인가요? 예수님이 우리의 영원한 왕이세요.

암몬 족속과 이스라엘은 요단강 오른쪽에 펼쳐져 있는 길르앗 땅을 두고 다툼을 벌였습니다. 다윗은 암몬 사람들에게 친절을 베풀려고 했지만 그들은 이스라엘의 사신들을 모욕했고, 이로 인해 이스라엘과 암몬 사이에 전쟁이 일어났습니다(삼하 10:1~5 참조). 다윗의 범죄와 회복에 관한 이야기에는 이런 배경이 있습니다.

다윗은 이스라엘이 암몬과 전쟁을 치르는 중에도 예루살렘에 있는 왕궁에 머물렀습니다. 어느 날 저녁, 왕궁 옥상을 거닐던 다윗은 한 여인이 목욕하는 모습을 보게 되었습니다. 다윗은 사람을 보내 그 여인에 대해 알아보게 했고, 헷 사람 우리아의 아내 밧세바라는 것을 알게 되었습니다. 다윗은 밧세바가 이미 결혼했다는 사실을 알면서도 그녀를 왕궁으로 불러 동침했습니다.

아마도 다윗은 밧세바가 임신했다는 소식을 듣기 전까지는 자신의 죄가 발각되지 않고 넘어갈 것으로 생각했을 것입니다. 하지만 밧세바가 잉태한 아기가 전쟁터에 나가 있는 우리아의 아이가 아니라는 것은 너무나 명백한 사실이었습니다.

다윗은 전쟁터에 있는 우리아를 성으로 불러들여 아내와 함께 지내도록 시간을 주었습니다. 하지만 우리아는 집으로 가지 않았습니다. 전우들은 치열한 전쟁터에서 적과 싸우고 있는데 자기만 아내와 함께 있

는 것이 옳지 않다고 생각했던 것입니다.

계획이 수포로 돌아가자 다윗은 다른 계획을 세웠습니다. 다윗은 군대장관에게 편지를 보내 우리아를 싸움이 가장 맹렬한 곳에 배치하여 죽게 하라고 지시했습니다. 이번에는 다윗의 계획대로 되었습니다. 충성스럽게 싸우던 우리아는 죽었고, 다윗은 밧세바를 아내로 맞이했습니다.

다윗이 한 일은 하나님이 보시기에 악했습니다. 하나님은 선지자 나단을 보내어 다윗을 꾸짖으셨습니다. 이때 자신의 죄를 깨달은 다윗이 죄를 회개하며 고백한 내용이 시편 51편에 기록되어 있습니다. 다윗은 제사를 드리는 것으로는 하나님을 기쁘시게 하거나 자신의 죗값을 치를 수 없음을 잘 알았습니다. 하나님은 마음으로부터 우러나오는 다윗의 고백을 들으셨습니다. 그리고 그를 용서하고 회복시키셨습니다.

● ● **티칭 포인트**

죄는 우리와 하나님의 관계를 끊어 놓습니다. 하나님과의 관계를 바르게 하기 위해서는 다윗과 같이 회개하는 마음이 필요하다는 것을 아이들에게 알려 주십시오. 예수님은 죄를 향한 하나님의 분노를 지고 십자가에서 죽으셨습니다. 그래야 우리가 예수님 안에서 다시 살아날 수 있기 때문입니다.

다윗이 하나님께 죄를 지었어요

삼하 11:1~12:14; 시 51편

다윗은 이스라엘의 왕이었어요. 군대를 이끄는 것도 왕이 해야 하는 일이었어요. 하지만 다윗은 부하들만 전쟁에 내보내고 자신은 예루살렘 왕궁에 머물렀어요.

어느 날 저녁, 다윗은 왕궁의 옥상을 산책하고 있었어요. 아래를 내려다본 다윗은 아름다운 여인을 발견했어요. 그녀의 이름은 밧세바였어요. 밧세바는 다윗의 훌륭한 군인 중 한 명인 우리아의 아내였어요. 다윗은 심부름꾼을 보내 밧세바를 왕궁으로 불렀어요.

다윗은 자기가 나쁜 짓을 저질렀다는 것을 알았어요. 밧세바는 우리아와 결혼한 사람이었어요. 다른 사람의 아내를 빼앗는 것은 아주 큰 잘못이지요. 다윗은 다른 사람들이 자신의 잘못을 눈치채면 곤란해질까 봐 한 가지 계획을 세웠어요.

다윗은 전쟁터에 있는 우리아를 불러서 전쟁터에서 일어나고 있는 상황에 관해 이것저것 물어보았어요. 그러고는 이렇게 말했어요. "집으로 가서 아내와 함께 지내라. 그동안 고생했으니 그래도 된다." 하지만 우리아는 다른 군인들이 전쟁터에 있는데 자기만 집에서 편하게 있는 것은 옳지 않다고 생각했어요. 그래서 왕궁 문 앞에서 잠을 자고 아내가 있는 집으로 가지 않았어요.

다윗은 계획대로 되지 않자, 다른 계획을 생각해 냈어요. 이번에는 군대를 이끄는 대장에게 우리아를 가장 위험한 전쟁터로 보내라고 말했어요. 우리아가 죽기를 바라는 마음이었던 거예요. 군대를 이끄는 대장은 우리아를 가장 위험한 전투가 벌어지고 있는 곳으로 보냈고, 우리아는 적군에게 죽임을 당했어요. 남편이 죽었다는 소식을 들은 밧세바는 몹시 슬펐어요. 다윗은 밧세바를 왕궁으로 데려와 아내로 삼았어요.

하나님은 다윗이 저지른 잘못을 모두 알고 계셨어요. 다윗의 행동이 마음에 들지 않으셨지요. 하나님은 선지자 나단을 보내 다윗을 꾸짖으셨어요. 나단은 다윗에게 이야기를 하나 들려주었어요. 가축을 아주 많이 가지고 있는 한 부자의 이야기였지요. 부자의 집에 나그네가 찾아왔는데, 그 부자가 가난한 사람의 하나뿐인 양을 빼앗아 그 양으로 음식을 만들어 나그네를 대접했다는 내용이었어요.

이야기를 들은 다윗은 화를 냈어요. 하지만 나단은 "그가 바로 당신입니다!"라고 말했어요. 하나님이 다윗에게 왕의 자리까지 주셨는데 다윗은 우리아를 죽게 하고 그의 아내를 빼앗았기 때문이지요. 나단이 하나님이 다윗의 행동을 기뻐하지 않으신다고 말하자, 다윗은 하나님께 죄를 지었다는 것을 깨달았어요. 다윗은 죄를 고백하면서 "하나님, 제 마음을 깨끗하게 만들어 주십시오"라고 기도했어요. 이 고백이 시편에 적혀 있어요. 다윗은 하나님께 잘못했다고 말씀드리고 용서를 구했어요. 하나님은 다윗을 용서해 주셨어요.

●● 예수님 생각하기

하나님은 다윗의 죄를 용서해 주셨어요. 하지만 죄에는 항상 대가가 따르는 법이에요. 우리가 지은 죄의 대가를 치르기 위해 예수님이 우리 대신 십자가에서 죽으셨어요. 우리는 하나님께 잘못했다고 고백하면 용서받을 수 있어요.

가스펠 준비

싱글벙글 환영해요

"우리의 왕"(지도자용 팩)을 튼다. 아이들을 반갑게 맞이하며 헌금과 기도를 도와준다. 예배 중 헌금 순서가 있다면 아이들이 헌금을 잘 간수하도록 돕는다. 가방과 외투를 정리하도록 안내한다. 새로 온 아이가 있다면 음수대와 화장실의 위치를 알려 주고, 보호자와 만나는 시간과 방법 등을 소개한다. 보호자들을 위한 안내문을 붙여 아이와 만나는 시간, 기다리는 장소, 헌금 방법, 아이에 대한 특별한 주의 사항을 교사에게 미리 알려 주기 등을 공지한다.

너랑 나랑 마음 열기

주제와 관련 있는 퍼즐이나 블록 등 아이들이 좋아하는 장난감을 몇 가지 비치해 두고 다양한 활동을 하며 예배를 준비하도록 돕는다. 아이들이 마음을 열고 오늘의 주제에 관심을 갖게 하며 예배에 집중할 수 있도록 도와준다. 교회 형편에 맞게 시간과 활동 방법을 조절한다.

"멍멍아, 멍멍아, 뼈다귀는 어디 있니?" ✱ 준비물 ▶ 콩 주머니

❶ 아이들을 마주 보고 둥글게 앉힌다. 아이들 중에 한 명에게 '멍멍이' 역할을 맡긴다.

❷ '멍멍이'를 원 한가운데 앉힌 후 콩 주머니가 '뼈다귀'라고 설명하고 '멍멍이' 뒤에 놓아 둔다.

❸ '멍멍이'에게 눈을 감으라고 한 뒤 인도자가 나머지 아이들 중 한 명을 지목해 '멍멍이' 몰래 '뼈다귀'를 가져와 주머니나 옷 속에 숨기라고 한다.

❹ 다 같이 "멍멍아, 멍멍아, 뼈다귀는 어디 있니? 누가 너희 집에서 가져갔구나" 하고 리듬에 맞춰 질문한다. '멍멍이'에게 눈을 뜨고 누가 '뼈다귀'를 가지고 있는지 알아맞히라고 한다. 정답을 말할 기회를 3회 준다.

❺ '뼈다귀'를 가지고 있던 아이에게 다음 '멍멍이' 역할을 맡겨 활동을 반복한다.

> **인도자** 멍멍이의 뼈다귀를 가져가 숨기는 놀이를 해 보았어요. 오늘의 성경 이야기에서 다윗왕은 잘못을 저지른 후 아무도 모르게 숨겼어요. 하지만 하나님은 다 알고 계셨지요. 하나님이 잘못을 깨닫게 해 주시자 다윗왕은 하나님께 나쁜 행동을 해서 잘못했다고 고백하고 용서해 달라고 기도했어요. 과연 어떤 일이 있었는지 함께 알아보기로 해요.

"나는 주의 군병" 노래를 해요 ✱ 준비물 ▶ "나는 주의 군병" 음원

❶ "나는 주의 군병" 찬양을 다 함께 불러 본다.
곡이나 가사를 미리 인터넷에서 찾아보고 음원을 다운로드해 틀어 주어도 좋다. '군병'은 '군인', '군사'와 같은 뜻의 단어라고 설명해 준다.
가사) "나는 진군하는 보병이나 / 말 타는 기병이나 / 포 쏘는 포병이나 / 저 위 나는 공군은 안 돼도 / 나는 주의 군병 / 나는 주의 군병(충성)."

❷ 군병처럼 씩씩하게 팔을 휘두르면서 불러 보고, 일어나서 둥글게 행진하며 불러 본다.

> **인도자** 군대를 지휘하는 일도 다윗왕이 해야 하는 일 중 하나였어요. 어느 날 다윗은 군대를 전쟁터에 보냈어요. 그런데 다윗은 군대를 다른 사람에게 맡기고 자기는 왕궁에 있었지요. 왕궁에 머물고 있는 동안 다윗은 잘못된 선택을 했어요. 대체 어떤 일이 일어난 것일까요?

🔶 예배 대형으로 모이기

- 카운트다운 영상, 모이기 노래 등을 활용해 예배 대형으로 바꾸고 마음을 준비하게 한다.
- 공간을 이동해야 한다면 군병처럼 씩씩하게 가도록 한다.

가스펠
설교

하나 — 들어가기

인도자가 먼저 예전에 자신이 다른 사람에게 잘못했다고 말하며 용서를 구해야 했던 경험을 이야기한다. 그런 다음 아이들에게도 그런 경험이 있는지 물어본다.

우리가 나쁜 행동을 했을 때는 잘못을 뉘우치고 용서를 구하는 것이 올바른 태도예요. 오늘의 성경 이야기에서 다윗은 잘못을 저질렀어요. 다윗은 누구에게 용서를 구했는지 함께 알아보기로 해요.

둘 — 성경 이야기

사무엘하 11~12장을 편다. 설교 영상(지도자용 팩)을 보여 주거나 이야기 성경을 들려준다.

성경은 세상에서 가장 특별한 책이에요. 하나님은 성경을 통해 우리에게 말씀하세요. 하나님의 말씀은 모두 진짜예요. 오늘의 성경 이야기는 '사무엘하'에 나와요.

tip 성경의 '사무엘하'에 미리 책갈피를 끼워 두고, 한 아이에게 그곳을 펼쳐 보라고 하는 것도 좋다.

셋 — 메시지와 정리

다윗은 아주 큰 잘못을 저질렀어요. 많은 사람이 그의 잘못된 선택 때문에 상처를 받았지요. 다윗은 자신이 하나님께 아주 큰 잘못을 저질렀다는 것을 깨달았어요. 그래서 하나님께 잘못했다고 말씀드리고 용서를 구했어요. **하나님은 다윗을 용서하셨어요.**

연대표(지도자용 팩)를 가리키면서 복습 질문을 한다.

1. 밧세바는 누구의 아내였나요? 우리아
2. 다윗에게 가난한 사람의 양을 뺏은 한 부자의 이야기를 들려준 사람은 누구였나요?
    나단 선지자
3. 나단 선지자의 이야기는 누구의 이야기를 빗대어 설명한 것이었나요? 다윗
4. 다윗은 하나님께 어떤 기도를 드렸나요? 용서해 달라고 기도했다
5. 하나님은 다윗의 기도를 듣고 어떻게 하셨나요? **하나님은 다윗을 용서하셨어요**

넷 — 성경의 초점

다윗은 죄를 지었어요. 그렇지만 그가 하나님께 용서를 구하자, **하나님은 다윗을 용서하셨어요**. 하나님을 사랑하는 왕, 다윗도 죄를 짓고 말았어요. 하나님은 죄를 지은 사람들을 위해서 특별한 계획을 세우셨어요. 결코 죄를 지은 적이 없으신 예수님을 우리의 왕으로 보내 주셨지요. "**우리의 왕은 누구인가요?**", "**예수님이 우리의 영원한 왕이세요.**" 예수님은 우리를 영원히 다스리시는 좋은 왕, 완벽한 왕이세요.

다섯 — 복음 초청

성경과 36쪽 복음 초청 가이드를 이용해서 아이들에게 그리스도인이 되는 법을 설명해 준다. 따로 상담해 줄 사람을 정해 주고 궁금한 점이 있으면 물어보도록 격려한다.

이 시간 예수님을 믿고 마음에 모시고 싶은 친구는 함께 기도해요.

여섯 — 기도

하나님, 예수님을 보내 십자가에 달려 돌아가심으로 우리의 죗값을 대신 치르게 해 주신 사랑에 감사드려요. 계속해서 죄의 길로 가는 우리를 붙잡아 주세요. 죄를 깨닫고 하나님 앞에 내려놓을 수 있도록 도와주세요. 늘 하나님을 기쁘시게 할 수 있는 마음과 순종할 수 있는 새로운 마음을 가질 수 있도록 도와주세요. 예수님의 이름으로 기도합니다. 아멘.

일곱 — 암송송

성경에서 시편 47편 7~8절을 펴고 큰 소리로 여러 번 따라 읽게 한다.

하나님이 이 세상을 만드셨어요. 그리고 온 세상을 다스리세요. 왕들과 나라들도 하나님이 세우시지요. 역사를 이끄시는 하나님이 온 땅의 왕이세요.

암송송(160쪽)에 맞추어 손유희를 하며 말씀을 익힌다.

"하나님은 온 땅의 왕이심이라 지혜의 시로 찬송할지어다 하나님이 뭇 백성을 다스리시며 하나님이 그의 거룩한 보좌에 앉으셨도다"(시 47:7~8).

tip 전체 구절 암송이 어려운 경우에는 표시 부분을 발췌해 외워도 좋다.

알콩달콩 ⌣ 말씀 놀이

제 사과를 받아 주세요

준비물 ▶ 유치부 교재 14쪽, A4 용지, 색연필, 연필

이야기 나누기
- 다윗은 잘못을 깨닫자마자 어떻게 했나요?
- 하나님은 다윗이 죄를 회개할 때 어떻게 하셨나요?
- 하나님은 우리의 죄를 깨끗하게 하기 위해 누구를 보내셨나요?

❶ 왼쪽 그림에서 어떤 행동이 잘못되었는지 찾아보라고 한다. 잘못 행동한 사람은 용서를 구해 상황을 바로잡아야 한다고 일러 준다.

❷ 알맞은 사과 방법이 그려진 그림을 찾아 선으로 연결하고 적절한 표현을 말풍선에 적어 보라고 한다.

❸ 교사가 A4 용지에 "죄송해요", "제 잘못이에요", "미안해"를 써서 보여 주고 따라 쓸 수 있도록 지도한다.

❹ 하나님께 회개한 다윗처럼 하나님께 고백해야 할 잘못이 있다면 편지지에 그림이나 글로 비밀 편지를 써 보라고 한다.

tip 하나님께 쓰는 비밀 편지를 아이들에게 서로 보지 못하도록 지도한다.

인도자 왼쪽 그림에 나온 친구들은 잘못 행동했지만 나중에 미안하다고 사과했어요. 오늘의 성경 이야기에서 다윗왕은 남의 것을 빼앗았어요. 다윗은 그것이 나쁜 행동이라는 것을 알고 있었어요. 다윗은 곤란해지기 싫어서 자기 잘못을 숨기려는 나쁜 계획을 세웠어요. 다윗은 하나님이 모든 것을 알고 계신다는 사실을 깜빡했던 거예요! 하나님은 나단 선지자를 보내 다윗이 어떤 죄를 지었는지 깨닫게 해 주셨어요. 다윗은 결국 하나님께 잘못했다고 고백했고, **하나님은 다윗을 용서하셨어요.**

노래로 기도해요 ✱

tip 아이들에게 익숙한 찬양 중에서 회개와 용서에 대해 감사하는 내용을 담은 찬양을 부르고, 만약 익숙한 찬양이 없다면 음원으로 찬양을 들려준 뒤 가사의 내용을 설명해 준다.

❶ 가사를 생각하며 찬양을 불러 보자고 한다.

❷ 유치부 교재 45쪽 '표정' 스티커를 양쪽 손등과 손바닥에 각각 붙이게 한다. 죄송하고 슬픈 표정은 왼쪽 손등과 손바닥에, 기쁘고 감사한 표정은 오른쪽 손등과 손바닥에 붙이면 된다.

❸ 다시 한 번 찬양을 부르며 가사에 맞는 표정을 찾아 손을 들어 보라고 한다.

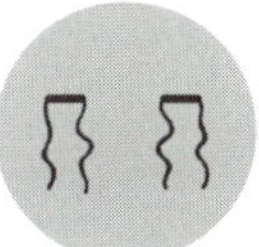   

인도자 다윗은 하나님께 잘못했다고 고백하기 위해 시를 지었어요. 이스라엘 백성이 하나님께 지어 부른 시를 모아 놓은 책이 '시편'이에요. 다윗의 시도 시편에 기록되어 있답니다. 다윗의 고백을 들으신 **하나님은 다윗을 용서하셨어요.** 하지만 죄에는 항상 대가가 따르는 법이에요. 우리도 죄를 지어요. 하지만 우리가 지은 죄의 대가를 치르기 위해 예수님이 우리 대신 십자가에서 죽으셨어요. 우리는 잘못했다고 하나님께 고백하면 용서받을 수 있어요.

스크래치 그림을 그려요 ✱

❶ 책상에 신문지를 깔고 아이들에게 엽서를 한 장씩 나눠 준다. 여러 색깔의 사인펜을 이용해 빈 공간이 없도록 엽서를 완전히 색칠하라고 한다.

❷ 검은색 크레파스로 ❶이 다 덮이도록 색칠하게 한다.

❸ 나무 막대를 이용해 스크래치 그림을 그려 보라고 한다.

인도자 처음에 알록달록 색칠한 엽서가 검은색으로 다 덮인 줄 알았는데 숨어 있었군요! 나무 막대로 살짝 긁어 내기만 했을 뿐인데 다 보였지요! 다윗도 자기 죄를 덮어 버리려고 했어요. 하지만 죄는 여전히 그 자리에 있었지요. 하나님은 다윗의 죄를 보시고, 나단 선지자를 보내 꾸짖으셨어요. 다윗은 하나님께 잘못했다고 고백했고, 용서를 구했어요. **하나님은 다윗을 용서하셨어요.**

블록 놀이를 해요 *

준비물 ▶ 블록

❶ 아이들에게 자유롭게 블록 놀이를 하라고 한다.

❷ 아이들이 활동을 하는 동안 친구들과 규칙을 잘 지키고 사이좋게 노는 것에 대해 칭찬해 준다. 혹시 친구의 블록을 빼앗는 아이가 있다면 부드럽게 타이른다.

> **인도자** 친구들과 블록을 사이좋게 나눠 사용하는 모습을 보니 기분이 참 좋네요. 그런데 다른 사람이 쓰고 있는 블록을 가져가는 것은 잘못된 행동이에요. 오늘의 성경 이야기에서 다윗은 다른 사람의 것을 빼앗았어요. 우리아의 아내 말이에요! 다윗이 한 행동은 죄였어요. 심지어 다윗은 그 죄를 가리기 위해 더 많은 죄를 지었지요. 하나님은 나단 선지자를 보내 다윗이 어떤 죄를 지었는지 깨닫게 해 주셨어요. 다윗은 하나님께 용서를 구했고, **하나님은 다윗을 용서하셨어요.**

색깔 점토로 하트 모양을 만들어요 *

준비물 ▶ 색깔 점토, 점토 놀이 도구, 하트 모양 틀

❶ 점토 놀이 도구를 이용해 색깔 점토로 다양한 모양을 만들어 보라고 한다.

❷ 하트 모양 틀을 찍어 하트 모양을 만들어 본다.

❸ ❷를 안전한 곳에 말려 두었다가 아이들에게 나누어 준다. 집에 가져가 잘 보이는 곳에 두고 하나님을 사랑하는 마음을 언제나 간직하자고 말한다.

> **인도자** 아담과 하와는 하나님이 먹지 말라고 하신 나무의 열매를 먹어 죄를 지었어요. 그 후 모든 사람은 죄로 가득한 마음을 갖고 태어나게 되었지요. 다윗의 마음도 죄로 물들었어요. 다윗은 하나님을 사랑했지만, 여전히 잘못된 선택을 하기도 했어요. 다윗이 하나님께 잘못했다고 고백하자 **하나님은 다윗을 용서하셨어요.** 우리의 마음도 죄로 물들었어요. 그래서 하나님께 완전히 순종할 수 없지요. 우리에게는 하나님을 사랑하고 하나님께 순종하고 싶어 하는 새 마음이 필요해요. 우리가 예수님을 믿고 의지할 때 하나님은 우리를 용서하시고 우리에게 새 마음을 주세요.

간식

❶ 카운트다운 영상, 정리하기 노래 등을 활용해 활동이 끝났음을 알린다. 아이들에게 주변을 정리하게 하고, 화장실에 가거나 물티슈 등을 이용해 손을 씻을 시간을 준다.

❷ 감사 기도를 드리고 불투명한 간식 통에 아이들이 좋아하는 간식을 담아 뚜껑을 덮은 채 아이들에게 보여 준다. 무슨 간식이 숨어 있는지 맞혀 보라고 한다. 선생님은 이 불투명한 간식 통 안에 무엇이 들어 있는지 다 알고 있다며, 죄를 짓고는 보이지 않도록 숨기려고 했던 다윗의 마음을 하나님은 다 알고 계셨다고 말해 준다. 아이들에게 간식 통 뚜껑을 열고 간식을 나누어 준다.

❸ 간식을 먹은 후 마무리 정리를 잘하도록 지도한다.

마무리

❶ 이번 주 메시지 카드로 부모님과 함께 오늘 배운 성경 이야기를 나누어 보라고 한다.

가족과 활동해요

- 시편 51편 4절을 읽고, 우리의 죄 때문에 다른 사람이 피해를 입은 것이 왜 하나님께 죄를 지은 것이 되는지 이야기를 나누어 보세요.
- 다윗이 다른 사람의 것을 빼앗은 것과 반대로 가족끼리 자기의 것을 나누세요.

❷ 소그룹 활동지를 떼어 파일에 끼우고 가방에 정리하게 한다.

❸ 아이들을 위해 기도한다.

> **인도자** 하나님, 우리 같은 죄인들도 용서해 주셔서 감사해요! 우리는 계속해서 죄를 짓지만, 하나님께 잘못했다고 말하면 하나님은 계속해서 용서해 주시는 분이에요. 하나님은 독생자 예수님까지 우리에게 보내 십자가에서 죽으시고 살아나게 하셨어요. 예수님이 우리의 죗값을 대신 치르게 하셨지요. 하나님을 사랑하고 하나님께 순종하는 새로운 마음을 우리에게 주세요. 예수님의 이름으로 기도합니다. 아멘.

❹ 아이를 데리러 온 부모에게 아이가 특별히 즐거워했거나 잘했던 활동들에 대해 이야기해 주고, 가정에서 성경 읽기와 가족 활동을 진행할 수 있도록 격려한다.

나만의 기록장

하나님께 용서받고 기뻐하는 내 모습 그리기

2 단원

지혜의 하나님

솔로몬은 하나님이 주신 지혜로 이스라엘을 다스렸고, 하나님의 뜻을 따라 성전을 지었습니다. 그러나 그의 죄로 인해 이스라엘은 두 나라로 나뉘었습니다. 솔로몬을 통해 우리는 진정한 지혜이시고, 완벽한 왕이신 예수님이 우리에게 필요하다는 사실을 깨닫게 됩니다.

솔로몬이
지혜를 구했어요

지혜는
하나님께로부터
와요

이스라엘이
둘로 나뉘었어요

솔로몬이
성전을 지었어요

눈으로 보는 소리

카운트다운 영상(**지도자용 팩**)은 예배 대형으로 모이거나 대형을 바꾸며 준비할 시간을 알리는
데 활용한다. 익숙해질 때까지 중간에 남은 시간을 알리는 것도 좋다.
예) "1분 전입니다", "30초 전입니다. 마음을 가다듬고 기도하며 하나님께 나아갑시다" 등.

대저 여호와는 지혜를 주시며 지식과 명철을 그 입에서 내심이며 그는 정직한 자를 위하여 완전
한 지혜를 예비하시며 행실이 온전한 자에게 방패가 되시나니(잠 2:6~7).

잠언 2:6~7

원곡 : 선한 목자 되신 우리 주(새찬송가 569장)

작곡 : W. B. Bradbury
편곡 : 김효정

7

솔로몬이 지혜를 구했어요

[왕상 2:1~4, 10~12, 3:1~15]

주제	솔로몬은 하나님께 지혜를 달라고 했어요.
예수님 생각하기	하나님은 지혜로운 솔로몬보다 더 위대하고 지혜로운 왕이신 예수님을 보낼 계획을 갖고 계셨어요. 예수님은 하나님을 믿고 의지하셨고, 우리의 죄를 위해 십자가에서 죽으심으로 하나님의 계획을 따르셨어요.
단원 암송	잠 2:6~7
성경의 초점	지혜는 어디서 오나요? 지혜는 하나님께로부터 와요.

다윗은 밧세바와 지은 죄로 인해 어려움을 겪었습니다. 그럼에도 하나님은 다윗과 밧세바에게 그분의 사랑을 보여 주셨습니다. 그들의 첫아들이 죽은 후 밧세바는 솔로몬을 낳았습니다. 다윗을 찾아와 그의 죄를 꾸짖었던 선지자 나단은 솔로몬에게 '여디디야'라는 또 다른 이름을 지어 주었습니다. 여디디야는 '여호와의 사랑을 받는 자'라는 뜻입니다. 하나님은 솔로몬을 왕으로 선택하셨습니다(삼하 12:24~25; 대상 22:9~13 참조).

솔로몬이 왕위에 오르고 얼마 지나지 않아 하나님이 그의 꿈에 나타나셨습니다. 그러고는 "내가 네게 무엇을 줄꼬?"(왕상 3:5)라고 물으셨습니다. 솔로몬의 대답은 그가 다른 왕들과는 다름을 보여 주었습니다. 그의 대답에는 하나님을 경외하는 성품이 잘 드러났습니다. 먼저 솔로몬은 하나님의 백성을 이끌기에 자신의 경험이 부족함을 솔직하게 인정하며 하나님께 말했습니다. "누가 주의 이 많은 백성을 재판할 수 있사오리이까 듣는 마음을 종에게 주사 주의 백성을 재판하여 선악을 분별하게 하옵소서"(왕상 3:9).

만약 여러분이 왕이나 여왕이고 하나님이 무엇을 구하든 다 주겠다고 말씀하셨다면, 여러분은 무엇을 구하겠습니까? 여러분이 가르치는 아이들에게도 무슨 소원이든 다 이루어진다면 무엇을 구할 것인지 한번 물어보십시오. 어떤 아이는 막강한 권력이나 전쟁에서의 승리를 구하겠다고 대답할 것입니다. 또 어떤 아이는 부나 장수를 구하겠다고 대답할 것입니다. 하지만 솔로몬은 이런 것을 구하지 않았습니다. 솔로몬은 하나님께 지혜를 구했습니다. 하나님은 솔로몬의 대답에 기뻐하셨고, 그에게 지혜롭게 분별하는 마음을 주겠다고 말씀하셨습니다.

●● 티칭 포인트

아이들에게 솔로몬이 자신의 마음을 하나님께 드렸다는 것을 상기시켜 주십시오. 그리고 하나님이 하나님의 뜻대로 살게 하려고 사람을 만드셨다는 점도 알려 주십시오. 하나님의 뜻을 따라 완전한 순종의 본을 보이신 예수님을 기억하게 도와주십시오. 예수님은 솔로몬과 비교할 수 없이 위대한 분이셨지만(마 12:42 참조), 자기 생명을 맡길 정도로 하나님을 완전히 신뢰하셨습니다. 예수님은 우리를 위해 십자가에서 죽으심으로 우리가 하나님께 돌아갈 수 있도록 하셨습니다.

솔로몬이 지혜를 구했어요

왕상 2:1~4, 10~12, 3:1~15

다윗은 나이가 많아 늙었어요. 그는 오랫동안 이스라엘의 왕으로 있었지요. 이제 그의 아들 솔로몬이 뒤를 이어 왕이 될 차례였어요.

다윗은 죽기 전에 솔로몬에게 몇 가지 특별한 당부를 했어요. "솔로몬아, 너는 훌륭하고 용감한 지도자가 되어라. 하나님의 명령을 잘 지켜라. 그러면 네가 무엇을 하든지, 어디로 가든지 모든 일이 잘될 것이다. 너는 좋은 왕이 될 것이다. 하나님이 '이스라엘의 모든 왕은 다윗의 자손에게서 나올 것이다'라고 하신 약속을 지키실 것이다." 다윗은 솔로몬에게 지혜로운 선택을 하라고 말했어요. 그리고 그의 적들을 어떻게 대해야 할지도 알려 주었지요. 그 후 다윗은 죽었고, 솔로몬이 이스라엘의 왕이 되었어요.

어느 날 밤, 하나님이 솔로몬의 꿈에 나타나 말씀하셨어요. "솔로몬아, 무엇이든지 원하는 것을 말해라. 내가 들어주겠다." 아마도 다른 왕들이라면 오래 살게 해 달라거나, 부자가 되게 해 달라고 말했을 거예요. 적들을 모두 물리쳐 달라고 말했을 수도 있겠지요. 하지만 솔로몬은 그런 것들을 구하지 않았어요. 그보다 훨씬 더 나은 것을 달라고 했답니다.

솔로몬은 이렇게 기도했어요. "하나님, 저는 아직 어려서 왕이 된다는 것이 어떤 것인지 잘 모릅니다. 제게 지혜를 주세요. 하나님께 순종하게 해 주세요. 무엇이 옳고 무엇이 잘못인지 잘 판단할 수 있게 해 주세요. 그래서 하나님의 백성을 잘 이끌 수 있게 해 주세요."

하나님은 솔로몬의 대답을 기뻐하셨어요. "네가 지혜를 구하니 기쁘구나. 내가 네게 지혜를 주겠다. 이제껏 살았던 누구보다 지혜롭고 총명하게 만들어 주겠다. 또한 앞으로 태어날 어떤 사람도 너처럼 지혜롭지 못할 것이다."

그런 다음 하나님은 또 말씀하셨어요. "또한 네가 지혜를 구했으니, 네가 구하지 않은 다른 것들도 네게 주겠다. 너는 오래 살며, 부와 영광을 누릴 것이다. 네가 사는 동안 너와 같은 왕은 어디에도 없을 것이다."

솔로몬이 잠에서 깨어 보니 꿈이었어요. 하나님이 꿈에 나타나 그에게 말씀하신 것이었지요! 솔로몬은 하나님께 감사드리고 하나님을 찬양했어요.

● ● 예수님 생각하기

솔로몬은 하나님의 뜻을 따르고자 하는 지혜로운 왕이었어요. 하나님은 지혜로운 솔로몬보다 더 위대하고 지혜로운 왕이신 예수님을 보낼 계획을 갖고 계셨어요. 예수님은 하나님을 믿고 의지하셨고, 우리의 죄를 위해 십자가에서 죽으심으로 하나님의 계획을 따르셨어요.

가스펠 준비

싱글벙글 😄 환영해요

"지혜의 말씀"(지도자용 팩)을 튼다. 아이들을 반갑게 맞이하며 헌금과 기도를 도와준다. 예배 중 헌금 순서가 있다면 아이들이 헌금을 잘 간수하도록 돕는다. 가방과 외투를 정리하도록 안내한다. 새로 온 아이가 있다면 음수대와 화장실의 위치를 알려 주고, 보호자와 만나는 시간과 방법 등을 소개한다. 보호자들을 위한 안내문을 붙여 아이와 만나는 시간, 기다리는 장소, 헌금 방법, 아이에 대한 특별한 주의 사항을 교사에게 미리 알려 주기 등을 공지한다.

너랑 나랑 😄 마음 열기

주제와 관련 있는 퍼즐이나 블록 등 아이들이 좋아하는 장난감을 몇 가지 비치해 두고 다양한 활동을 하며 예배를 준비하도록 돕는다. 아이들이 마음을 열고 오늘의 주제에 관심을 갖게 하며 예배에 집중할 수 있도록 도와준다. 교회 형편에 맞게 시간과 활동 방법을 조절한다.

어디서 오나요? *

준비물 ▶ 171쪽 '어디서 오나요?' 그림(지도자용 팩), 가위

❶ 171쪽 '어디서 오나요?' 그림(또는 지도자용 팩)을 가위로 잘라 준비해 둔다.

❷ 아이들을 한 명씩 차례로 앞으로 나오게 해 '어디서 오나요?' 그림을 한 장씩 뽑으라고 한다.

❸ 뽑은 그림을 아이들에게 보여 주면서 "이 물건은 무엇인가요? 이 물건은 어디서 오나요?"라고 묻고 답을 들어 본다.

예) • 아기 인형(장난감 공장, 장난감 가게 등)

  • 장바구니 가득 담긴 식재료들(식료품 가게, 인터넷 쇼핑몰 등)

  • 자전거(자전거 보관소, 자전거 가게 등)

  • 크레용(책상 서랍, 교실, 문구점 등)

  • 물 한 잔(정수기, 수도꼭지, 강 등)

  • 아이스크림 콘(아이스크림 가게, 마트 등)

인도자 질문을 한 번 더 할게요. 이번에는 여러분에게 그림을 보여 줄 수가 없어요. 왜냐하면 눈에 보이는 물건이 아니기 때문이에요. 자, 질문에 답해 보세요. **지혜는 어디서 오나요?** 아이들의 대답을 기다린다. 지혜를 식료품 가게에서 살 수 있을까요? 아니면 공장에서 지혜가 만들어지나요? 아니에요. **지혜는 하나님께로부터 와요.** 앞으로 몇 주 동안 우리는 지혜에 대해 배울 거예요. 오늘은 첫 시간이랍니다. 기대하세요.

'꿈! 일어나세요!' 놀이를 해요 *

tip '무궁화꽃이 피었습니다' 게임을 변형한 활동이다.

❶ 아이들을 예배실 벽을 등지고 옆으로 길게 한 줄로 세운다.

❷ 인도자가 "일어나세요!" 하고 외치면 아이들이 반대편 벽을 향해 천천히 걷고, 다시 인도자가 "꿈!" 하고 외치면 그 자리에 멈추어 서면 된다는 게임의 규칙을 말해 준다.

❸ "꿈!"이라고 외친 후 다시 "일어나세요!"라고 외치기 전까지는 꼼짝도 말아야 하는데, 조금이라도 움직이는 아이는 출발점으로 돌아가야 한다고 말해 준다.

❹ 반대편 벽에 먼저 도착한 아이가 승자가 된다.

> **인도자** 오늘의 성경 이야기에서 하나님이 솔로몬의 꿈에 나타나셨어요. 하나님이 꿈속에서 솔로몬에게 과연 어떤 말씀을 하셨는지 궁금하지요? 이제 알아보기로 해요.

숫자를 세어 보아요 *

준비물 ▶ 흰색 도화지, 작은 장난감, 사인펜

❶ 사인펜으로 1~5까지의 숫자를 흰색 도화지에 하나씩 차례로 쓰고, 아이들이 쉽게 알 수 있도록 숫자 아래에 해당되는 수만큼의 네모를 그려 둔다. 이때 네모의 크기는 준비한 작은 장난감을 올려놓을 수 있을 정도로 한다.

tip 연령대가 높은 경우 1~12까지의 숫자를 사용해도 좋다.

❷ ❶과 작은 장난감 5개를 책상 위에 올려 둔다.

❸ 아이들을 한 명씩 차례대로 앞으로 나오게 해 종이 한 장을 선택하게 하고, 적힌 숫자만큼 장난감의 수를 세어 보라고 한다. 종이에 그려 둔 네모에 장난감을 하나씩 올리면서 숫자를 세도 좋다고 말해 준다.

> **인도자** 모두 숫자를 잘 세어 주었어요. 앞으로는 더 큰 숫자도 배울 거예요. 이렇게 생각할 수 있는 힘을 주신 하나님께 감사드려요. 자, 이제 여러분이 숫자 나라의 왕이 되었다고 생각해 보세요. 숫자 백성이 5명도 아니고, 10명도 아니고, 셀 수 없이 많다고 생각해 보세요. 나라를 잘 다스리려면 왕에게는 무엇이 필요할까요? 오늘의 성경 이야기에는 다윗왕의 뒤를 이어 이스라엘을 다스리게 된 왕의 이야기가 나와요. 어떤 이야기일지 한번 들어 보아요.

예배 대형으로 모이기

- 카운트다운 영상, 모이기 노래 등을 활용해 예배 대형으로 바꾸고 마음을 준비하게 한다.
- 공간을 이동해야 한다면 방금 잠에서 깬 듯 기지개를 켜며 가도록 한다.

가스펠
설교

하나 — 들어가기

누군가가 무엇이든지 말하는 대로 다 주겠다고 한다면 여러분은 무엇을 달라고 하고 싶나요? 오늘의 성경 이야기에서 하나님은 솔로몬에게 바로 그 질문을 하셨어요. 솔로몬이 어떤 대답을 했을지 정말 궁금하네요. 귀 기울여 들어 보세요.

둘 — 성경 이야기

열왕기상 2~3장을 편다. 설교 영상(지도자용 팩)을 보여 주거나 이야기 성경을 들려준다.

성경 말씀은 모두 사실이에요. 하나님은 성경을 통해 우리에게 말씀하세요. 성경만큼 중요한 책은 이 세상에 없어요. 오늘의 성경 이야기는 '열왕기상'에 나와요.

셋 — 메시지와 정리

솔로몬은 하나님께 지혜를 달라고 했어요. 하나님은 몹시 기뻐하셨어요. 솔로몬은 하나님의 백성을 잘 이끌 좋은 왕이 되고 싶었지요. 하나님은 솔로몬이 구한 것보다 훨씬 많은 것을 주셨어요.

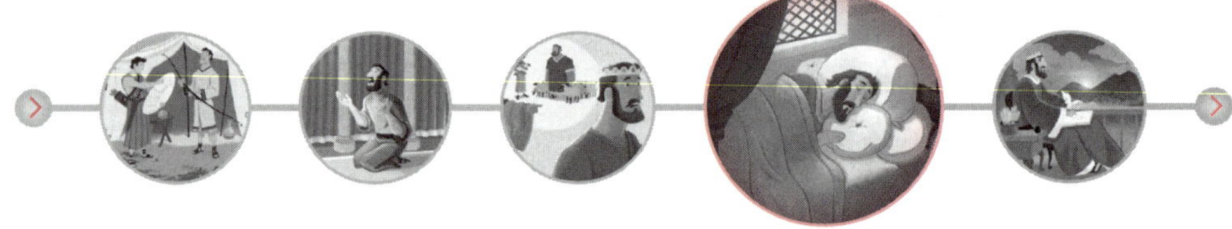

연대표(지도자용 팩)를 가리키면서 복습 질문을 한다.

1. 다윗의 뒤를 이어 이스라엘의 왕이 된 사람은 누구인가요? 솔로몬
2. 하나님이 솔로몬의 꿈에 나타나 무엇이라고 말씀하셨나요? 무엇이든지 원하는 것을 말하면 들어주겠다
3. 솔로몬은 하나님께 무엇을 달라고 했나요? 지혜
4. 솔로몬은 왜 지혜를 달라고 했나요? 하나님의 백성을 잘 이끄는 좋은 왕이 되고 싶어서
5. 하나님은 솔로몬에게 무엇을 주셨나요? 지혜, 장수, 재물, 명예

넷 — 성경의 초점

2단원의 '성경의 초점'을 들어 보세요. **"지혜는 어디서 오나요?", "지혜는 하나님께로 부터 와요."** 하나님만 사람들을 진짜 지혜롭게 만드실 수 있어요. 하나님은 솔로몬을 지혜로운 왕으로 만들어 주셨어요. 솔로몬이 지혜를 구한 이유는 하나님의 계획에 순종하고 싶어서였어요. 하나님은 지혜로운 솔로몬보다 더 위대하고 지혜로운 왕이신 예수님을 보낼 계획을 갖고 계셨어요. 예수님은 하나님을 믿고 의지하셨고, 우리의 죄를 위해 십자가에서 죽으심으로 하나님의 계획을 따르셨어요.

다섯 — 복음 초청

성경과 36쪽 복음 초청 가이드를 이용해서 아이들에게 그리스도인이 되는 법을 설명해 준다. 따로 상담해 줄 사람을 정해 주고 궁금한 점이 있으면 물어보도록 격려한다.

이 시간 예수님을 믿고 마음에 모시고 싶은 친구는 함께 기도해요.

여섯 — 기도

우리에게 솔로몬왕보다 더 지혜로우신 예수님을 보내 주신 하나님께 감사해요. 하나님이 주신 지혜를 가지고 하나님을 더욱 신실하게 믿은 솔로몬처럼 우리도 하나님을 믿고 의지하는 아이들이 되게 해 주세요. 예수님의 이름으로 기도합니다. 아멘.

일곱 — 암송송

성경에서 잠언 2장 6~7절을 펴고 큰 소리로 여러 번 따라 읽게 한다.

진정한 지혜를 우리에게 주실 수 있는 분은 하나님밖에 없어요. 진짜 지혜로우신 분은 오직 하나님뿐이시기 때문이지요. 지혜는 하나님을 사랑하고 하나님의 말씀에 순종하는 거예요. 예수님을 믿고 의지할 때 하나님이 우리의 마음을 하나님을 사랑하는 마음으로 바꿔 주세요. 또한 하나님의 말씀을 주셔서 하나님이 기뻐하시는 일이 무엇인지 알게 하신답니다.

암송송(161쪽)에 맞추어 손유희를 하며 말씀을 익힌다.

"대저 여호와는 지혜를 주시며 지식과 명철을 그 입에서 내심이며 그는 정직한 자를 위하여 완전한 지혜를 예비하시며 행실이 온전한 자에게 방패가 되시나니"(잠 2:6~7).

tip 전체 구절 암송이 어려운 경우에는 표시 부분을 발췌해 외워도 좋다.

알콩달콩 말씀 놀이

솔로몬은 무엇을 구했나요?

준비물 ▶ 유치부 교재 16쪽, 45쪽 '기도 제목' 스티커, 색연필

이야기 나누기

- 솔로몬이 가장 갖고 싶어 한 것은 무엇인가요?
- 솔로몬은 왜 다른 것보다 지혜를 구했나요?

솔로몬은 하나님께 | 지 | 혜 |를 구했어요!

❶ 왼쪽 그림을 살펴보며 우리에게 어떤 도움을 주는 것들인지 생각을 나누어 본다.

❷ 오른쪽 빈칸이 왼쪽 그림과 똑같이 되도록 45쪽 '기도 제목' 스티커를 알맞게 붙이라고 한다.

❸ 솔로몬이 하나님께 구한 것에 ○표 해 보라고 한다.

❹ 빈칸의 흐린 글씨를 따라 솔로몬이 하나님께 구한 것을 쓰고 선생님과 함께 문장을 큰 소리로 읽어 본다.

> 인도자 하나님은 솔로몬왕에게 원하는 것을 말해 보라고 하셨어요. **솔로몬은** 하나님이 맡기신 왕의 일을 잘하기 위해 **하나님께 지혜를 달라고 했어요.** 솔로몬은 하나님의 계획에 순종하고 싶었어요. 그는 하나님께 순종하고 좋은 왕이 되려면 지혜가 필요하다는 것을 알고 있었지요. 지혜를 구한 솔로몬은 좋은 왕이 되었어요. 그렇지만 솔로몬도 완벽한 왕은 아니었어요. 하나님은 지혜로운 솔로몬보다 더 위대하고 지혜로운 왕이신 예수님을 보낼 계획을 갖고 계셨어요. 예수님은 하나님을 믿고 의지하셨고, 우리의 죄를 위해 십자가에서 죽으심으로 하나님의 계획을 따르셨어요.

'지혜' 콩 주머니를 주고받아요 ✱

준비물 ▶ 콩 주머니(털실 뭉치)

❶ 인도자가 콩 주머니를 들고 '지혜'를 가리킨다고 설명한다. 한 아이를 쳐다보며 "지혜는 어디서 오나요?" 하고 외치며 그 아이에게 '지혜'를 살포시 던진다.

❷ '지혜'를 받은 아이에게 "지혜는 하나님께로부터 와요"라고 외친 후 다른 친구에게 ❶의 활동을 반복하게 한다.

❸ 모든 아이가 '지혜'를 주고받을 때까지 활동을 반복한다.

> tip 연령대가 높은 경우 '지혜' 털실 뭉치를 이용하면 좋다. 털실 가닥을 잡은 채 털실을 살포시 던지면 얼기설기 얽

힌 모양이 나온다.

 지혜는 어디서 오나요? 지혜는 하나님께로부터 와요. 솔로몬은 하나님의 계획에 순종하고 싶어 했어요. 그래서 **솔로몬은 하나님께 지혜를 달라고 했어요.** 하나님은 솔로몬을 지혜롭게 만들어 주셨답니다.

예수님 발자국을 따라가요 *
준비물 ▶ A5 용지, 셀로판테이프

❶ A5 용지에 발자국 그림을 넣어 10장 프린트한다.
❷ 예배실 바닥에 아이들의 보폭에 맞추어 셀로판테이프를 이용해 '발바닥 그림'을 붙여 둔다.
❸ 아이들에게 "이 발자국은 예수님의 발자국이에요"라고 알려 주고, 예수님의 발자국을 따라가라고 설명한다.
❹ 아이들이 차례대로 발자국을 따라갈 수 있도록 지도한다.

 솔로몬은 하나님의 계획을 따라가고 싶었어요. 그래서 **솔로몬은 하나님께 지혜를 달라고 했어요.** 예수님은 하나님을 믿고 의지하셨어요. 그래서 우리의 죄를 위해 십자가에서 죽으심으로 하나님의 계획을 따르셨지요. 예수님이 우리를 죄에서 구원하셨기 때문에 우리도 하나님의 계획을 따라갈 수 있게 되었어요.

지혜로운 사람을 인터뷰해요 *
준비물 ▶ 마이그, 종이, 연필

❶ 초대 손님으로 지혜로운 사람을 만나게 될 것이라고 알려 주고, 그 지혜로운 사람에게 어떤 질문을 하고 싶은지 이야기를 나눈 뒤 종이에 적어 둔다.

예) "왜 지혜로운 사람이라고 불리시나요?", "어떻게 지혜로운 사람이 되셨나요?", "우리도 지혜로운 사람이 되려면 어떤 일부터 시작해야 하나요?", "지혜롭지 않은 선택을 하게 될 때도 있지 않나요? 그럴 때는 어떻게 하나요?" 등.

❷ 지혜로운 사람을 손님으로 초대하고 인도자가 간략하게 소개한 후 아이들에게 돌아가면서 질문할 수 있는 기회를 준다. ❶에서 준비한 질문을 할 수 있도록 도와준다.

Tip 하나님의 말씀을 사랑해 많이 읽는나고 알려신 문을 찾아 미리 약속을 정해 둔다. 질문하는 친구는 기자처럼 마이크를 들고 말하면 놀이가 더욱 흥미로워진다. 질문은 아이들이 돌아가면서 할 수 있도록 한다. 지혜로운 사람에게 모든 질문에 아이들의 이해를 돕기 위해 2~4개의 짧은 문장으로 답해 달라고 부탁한다. 모든 질문이 끝나면 "하나님이 주신 지혜로 이렇게 대답할 수 있었어요" 하며 마무리해 달라고 사전에 말해 둔다.

 지혜로운 사람을 만나 보았어요. 그런데 지혜로운 사람은 자기 힘으로 지혜를 얻은 것이 아니에요. **지혜는 어디서 오나요? 지혜는 하나님께로부터 와요.** 솔로몬은 하나님께 지혜를 달라고 했어요. 하나님은 솔로몬을 지혜롭게 만들어 주셨지요.

소곤소곤 꿀~떡  **간식**

준비물 ▶ 빵, 떡, 과자, 과일 주스

❶ 카운트다운 영상, 정리하기 노래 등을 활용해 활동이 끝났음을 알린다. 아이들에게 주변을 정리하게 하고, 화장실에 가거나 물티슈 등을 이용해 손을 씻을 시간을 준다.

❷ 감사 기도를 드리고 과일 주스를 간식으로 나누어 주고, 빵, 떡, 과자 등 세 종류의 간식 중 하나를 고를 기회를 준다. 하나님이 솔로몬에게 무엇이든 원하는 대로 구하면 주겠다고 말씀하신 오늘의 성경 이야기를 떠올려 준다. 솔로몬은 다른 것보다 지혜를 구했다고 다시 한 번 이야기해 준다. 아이들이 한 가지 간식을 선택하면, 하나님도 솔로몬에게 지혜 외에 많은 것을 주셨다고 이야기하며 남은 간식을 나누어 준다.

❸ 간식을 먹은 후 마무리 정리를 잘하도록 지도한다.

오순도순  **마무리**

준비물 ▶ 유치부 교재 39쪽 메시지 카드, 소그룹 활동지, 파일

❶ 이번 주 메시지 카드로 부모님과 함께 오늘 배운 성경 이야기를 나누어 보라고 한다.

가족과 활동해요

- 우리 동네에 이사 온 지 얼마 안 된 가족을 가까운 식당으로 초대해 함께 저녁 식사를 나누어 보세요.
- 무엇이든 말하는 대로 가질 수 있다면 무엇을 구할지 함께 이야기해 보세요.

❷ 소그룹 활동지를 떼어 파일에 끼우고 가방에 정리하게 한다.

❸ 아이들을 위해 기도한다.

> **인도자** 하나님, 하나님은 지혜로우세요. 하나님만 지혜를 주실 수 있어요. 하나님은 지혜를 구하는 솔로몬에게 지혜를 주셨어요. 우리에게도 지혜를 주셔서 우리를 지혜롭게 만들어 주세요. 예수님을 믿고 의지하며, 하나님의 계획을 따라가는 지혜를 우리에게도 주세요. 예수님의 이름으로 기도합니다. 아멘.

❹ 아이를 데리러 온 부모에게 아이가 특별히 즐거워했거나 잘했던 활동들에 대해 이야기해 주고, 가정에서 성경 읽기와 가족 활동을 진행할 수 있도록 격려한다.

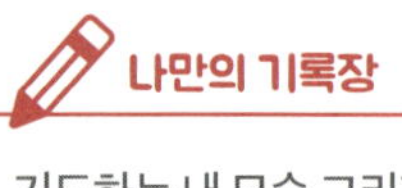 **나만의 기록장**

기도하는 내 모습 그리기

8
지혜는
하나님께로부터
와요

(잠 1:1~7, 3:1~12, 4:10~19)

주제 지혜는 하나님을 사랑하고 하나님의 말씀에 순종하는 거예요.

예수님 생각하기 하나님은 지혜의 주인이세요. 하나님은 이 세상을 만드신 분이기 때문에 이 세상이 어떻게 해야 잘 움직이는지도 가장 잘 아세요. 누구나 죄를 짓고 어리석은 결정을 하지만, 하나님은 그런 우리를 구원하기 위해 아들이신 예수님을 보내셨어요. 예수님은 우리를 죄에서 구원하시고, 지혜롭고 거룩하게 하세요.

단원 암송 잠 2:6~7

성경의 초점 지혜는 어디서 오나요?
지혜는 하나님께로부터 와요.

어른들은 아이들에게 "항상 좌우를 살펴보고 길을 건너라", "뜨거우니 난로를 만지면 안 된다", "제자리에 앉아 있어라"라고 지시합니다. 그렇지 않고 제멋대로 하게 내버려 둔다면 십중팔구는 차를 향해 뛰어들거나, 난로에 손을 데거나, 식당 여기저기를 돌아다닐 것이 분명하기 때문입니다.

어린아이들은 세상을 발견하고 그것이 어떻게 돌아가는지 이해하기 시작할 무렵에 어리석은 결정을 하기 쉽습니다. 죄인인 우리도 마찬가지입니다.

우리의 삶에 하나님이 없다면 우리는 자신을 신뢰하고 자신의 명철을 의지하게 될 것입니다(잠 3:5 참조). 악을 떠나기보다 악을 향해 달려갈 것이며(잠 3:7 참조), 주님의 징계를 업신여길 것입니다(잠 3:11 참조). 그러다 보면 우리 인생은 영원한 죽음을 향해 치닫게 됩니다. 그러나 한없이 긍휼하신 하나님은 성경에 '잠언'이라는 책을 주셨습니다.

하나님은 왕이 된 솔로몬에게 무엇이든 구하라고 말씀하셨고, 그는 지혜를 구했습니다. 지혜란 옳은 것과 참된 것, 정직한 것과 공평한 것을 알고 이해하는 것입니다. 솔로몬은 잠언에 수많은 지혜의 말들을 써 놓았습니다. 하나님은 솔로몬을 하나님의 백성을 잘 인도할 수 있는 자리에 앉히셨습니다. 다른 나라의 왕들조차 그의 지혜를 배우기 위해 먼 여행길을 마다하지 않았습니다.

잠언은 우리에게 인생을 사는 두 가지 길이 있다고 가르칩니다. 지혜로운 길과 어리석은 길입니다. 이 세상은 하나님이 만드셨습니다. 따라서 이 세상이 어떻게 운행되는지 가장 잘 아는 분도 하나님이십니다. 사람도 하나님이 만드셨습니다. 우리가 어떻게 살아야 할지, 어떻게 하면 기쁨을 얻을 수 있는지도 하나님이 가장 잘 아십니다. 우리의 어리석음은 우리의 죄로부터 오지만, 지혜는 하나님께로부터 옵니다.

● ● 티칭 포인트

솔로몬은 지혜로운 지도자였습니다. 그러나 약 900년 후 하나님은 솔로몬과 비교할 수 없는 위대한 지도자를 보내셨습니다. 그분은 바로 하나님의 아들 예수님이십니다(마 12:42 참조). 예수님이 죄인들을 위해 어떤 일을 하셨는가를 알려 주는 것이 복음입니다. 이 복음은 "멸망하는 자들에게는 미련한 것이요 구원을 받는 우리에게는 하나님의 능력"(고전 1:18)이라는 것을 아이들이 이해할 수 있도록 도와주십시오.

지혜는 하나님께로부터 와요

잠 1:1~7, 3:1~12, 4:10~19

다윗이 죽고 그의 아들 솔로몬이 왕이 되었어요. 하나님은 솔로몬에게 "무엇이든 원하는 것을 말해 보아라"라고 말씀하셨어요. 솔로몬은 하나님께 지혜를 구했어요. 하나님은 솔로몬에게 지혜를 주셨어요. 하나님이 주신 지혜 덕분에 솔로몬은 무엇이 옳은 일이고 잘못된 일인지 잘 결정할 수 있었고, 하나님이 기뻐하시는 삶을 살 수 있었어요. 다른 나라의 왕들도 솔로몬이 지혜롭다는 소문을 듣고 그에게 지혜를 배우기 위해 멀리서 찾아왔어요.

솔로몬은 사람들이 지혜로운 삶을 살 수 있도록 교훈을 주는 말들을 많이 했어요. 그 지혜의 말들을 글로 썼어요. 이 글들을 모아 놓은 책이 바로 '잠언'이에요. 솔로몬은 잠언에 이런 말들을 써 놓았어요.

"잠언은 지혜를 가르쳐 주는 글입니다. 잠언을 통해 여러분은 무엇이 옳은지, 무엇이 정직한지, 무엇이 공평한지 배우게 될 것입니다. 어른이든 아이든 누구나 지혜를 가질 수 있습니다! 정말 지혜로워지고 싶다면, 가장 먼저 하나님을 두려워해야 합니다. 하나님을 두려워한다는 것은 하나님을 높이고, 하나님께 놀라는 것을 의미합니다. 오직 어리석은 사람들만이 지혜와 가르침을 무시합니다."

"제가 하는 말을 잘 들으십시오. 이 가르침을 따르면 오래 살고 성공할 것입니다. 사람들을 사랑하고 참된 것을 찾으세요. 그러면 하나님과 사람에게 사랑받을 것입니다."

"마음을 다하여 주님을 믿고 의지하세요. 여러분이 아는 것을 믿거나 따르지 마세요. 무엇을 하든지 하나님을 생각하세요. 그러면 하나님이 여러분을 바른길로 이끌어 주실 것입니다."

"모든 것을 다 안다고 생각하지 마세요. 하나님께로 달려가고, 악한 것에서 도망치세요. 그러면 몸이 튼튼해지고 강해질 것입니다. 여러분이 가진 모든 것으로 하나님을 섬기고, 가장 좋은 것을 가장 먼저 하나님께 드리세요. 그러면 하나님이 여러분이 필요한 것보다 훨씬 많이 주실 것입니다."

"하나님이 꾸짖으실 때 듣기 싫어하지 마세요. 하나님이 여러분을 사랑하기 때문에 꾸짖으시는 것입니다. 아버지가 자녀한테 하듯이 말이에요."

"이 가르침을 따르면 지혜로워질 것입니다. 악한 일을 하는 사람들을 멀리하고, 그들의 행동을 따라 하지 마세요. 악한 사람들은 문제를 일으키고 다른 사람들을 해칩니다. 그들은 어리석은 결정을 합니다. 지혜로운 사람은 떠오르는 해와 같고, 어리석은 사람은 어둠과 같습니다. 그들은 자기가 어디로 가는지도 보지 못하고 넘어집니다."

● ● **예수님 생각하기**

하나님은 우리에게 솔로몬과 같은 지혜를 주세요. 하나님은 지혜의 주인이세요. 하나님은 이 세상을 만드신 분이기 때문에 이 세상이 어떻게 해야 잘 움직이는지도 가장 잘 아세요. 누구나 죄를 짓고 어리석은 결정을 하지만, 하나님은 그런 우리를 구원하기 위해 아들이신 예수님을 보내셨어요. 예수님은 우리를 죄에서 구원하시고, 지혜롭고 거룩하게 하세요(고전 1:24, 30).

가스펠 준비

싱글벙글 환영해요

"지혜의 말씀"(지도자용 팩)을 튼다. 아이들을 반갑게 맞이하며 헌금과 기도를 도와준다. 예배 중 헌금 순서가 있다면 아이들이 헌금을 잘 간수하도록 돕는다. 가방과 외투를 정리하도록 안내한다. 새로 온 아이가 있다면 음수대와 화장실의 위치를 알려 주고, 보호자와 만나는 시간과 방법 등을 소개한다. 보호자들을 위한 안내문을 붙여 아이와 만나는 시간, 기다리는 장소, 헌금 방법, 아이에 대한 특별한 주의 사항을 교사에게 미리 알려 주기 등을 공지한다.

너랑 나랑 마음 열기

주제와 관련 있는 퍼즐이나 블록 등 아이들이 좋아하는 장난감을 몇 가지 비치해 두고 다양한 활동을 하며 예배를 준비하도록 돕는다. 아이들이 마음을 열고 오늘의 주제에 관심을 갖게 하며 예배에 집중할 수 있도록 도와준다. 교회 형편에 맞게 시간과 활동 방법을 조절한다.

어떻게 해야 할까요? ✱

❶ 172쪽 '어떻게 해야 할까요?' 그림(또는 지도자용 팩)을 보여 준다. 아이들이 직접 설명할 수 있도록 다양한 질문을 던지고 답을 들어 본다.

예) ① "뒤에 있는 친구가 왜 깜짝 놀랐나요? 어떻게 해야 할까요?"

② "자동차가 모두 몇 대인가요? 차가 아주 많네요. 어떻게 해야 할까요?"

③ "가스레인지 위에 있는 냄비는 어떤 상태인가요? 아주 뜨겁겠지요? 어떻게 해야 할까요?"

④ "아이의 손 모양을 따라 해 보세요. 차에 타면 어떻게 해야 할까요?"

❷ 지혜로운 행동을 한 아이를 선택하는 시간을 갖는다.

> **인도자** 지난주에 우리는 하나님이 솔로몬에게 지혜를 주신 이야기를 배웠어요. 오늘의 성경 이야기에서는 과연 지혜가 무엇인지 알아보려고 해요. 지혜는 우리가 옳은 결정을 할 수 있게 도와주고, 하나님을 높이고 하나님을 기쁘시게 하는 방법을 따르며 살아갈 수 있도록 해 준답니다.

글자를 써 보아요 ✱

❶ 다양한 필기도구를 이용해 아이들과 함께 글자를 써 본다.

예) 내 이름, 교회 이름, '아빠', '엄마', '예수님', '하나님' 등.

`tip` 연령대가 낮은 경우 몇 개의 글자를 흐린 글씨로 프린트해서 나누어 주고 따라서 쓸 수 있도록 지도한다

> **인도자** 사람들이 글을 쓰는 이유는 다양해요. 무엇인가를 잊어버리지 않고 기억하기 위해 글을 쓰기도 하고, 자기 생각을 다른 사람들에게 말하기 위해 글을 쓰기도 하지요. 오늘의 성경 이야기에서 솔로몬은 많은 지혜의 말들을 글로 썼어요. 이 글들을 모아 놓은 책이 바로 '잠언'이에요. 우리는 성경에 담긴 솔로몬의 글을 읽으면서 어떻게 지혜롭게 살 수 있는지 그 방법을 배울 수 있어요. 이제 함께 배워 보아요.

예배 대형으로 모이기

- 카운트다운 영상, 모이기 노래 등을 활용해 예배 대형으로 바꾸고 마음을 준비하게 한다.
- 공간을 이동해야 한다면 인도자가 들려주는 박수의 박자를 그대로 따라 하며 가도록 한다.

가스펠 설교

하나 — 들어가기

잠언 1장 7절, 3장 5~6절, 4장 14~15절을 큰 소리로 읽는다. 아이들이 이해할 수 있도록 오늘의 성경 이야기를 참조해 말씀을 쉽게 설명해 준다.

이 말들은 모두 솔로몬왕이 하나님이 주신 지혜로 썼어요. 하나님이 솔로몬왕을 정말 지혜롭게 만들어 주셨지요? 솔로몬은 자신이 깨달은 내용을 지혜로운 말들로 써 두었어요. 오늘 우리는 성경에 있는 지혜로운 말들을 배울 거예요.

둘 — 성경 이야기

잠언 1장을 편다. 설교 영상(지도자용 팩)을 보여 주거나 이야기 성경을 들려준다.

성경에는 하나님이 우리에게 하시는 말씀이 들어 있어요. 하나님의 말씀은 언제나 진짜예요. 오늘 우리가 배울 말씀은 '잠언'이에요. 이제 귀를 쫑긋 세우고 하나님이 잠언을 통해 하시는 말씀을 들어 보아요.

셋 — 메시지와 정리

하나님은 솔로몬에게 지혜를 주셨어요. 솔로몬은 하나님이 주신 지혜를 사람들에게 나누어 주었어요. 성경 중에서 잠언을 보면 지혜가 무엇인지 알 수 있어요. **지혜는 하나님을 사랑하고 하나님의 말씀에 순종하는 거예요.**

연대표(지도자용 팩)를 가리키면서 복습 질문을 한다.

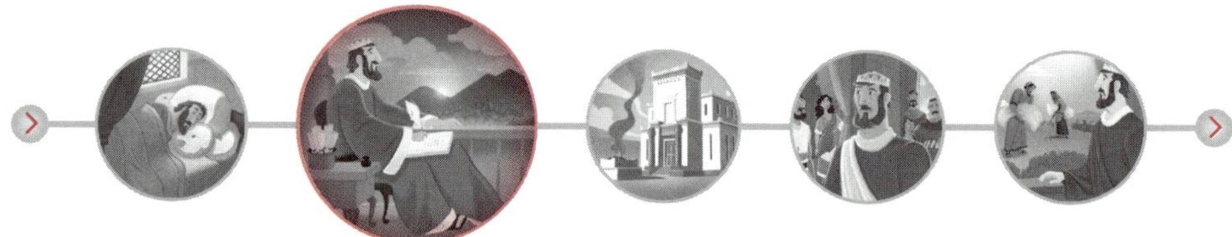

1. 어떻게 지혜를 얻나요? 가장 지혜로우신 하나님께 구해요
2. 우리는 우리가 아는 것들을 믿고 의지해야 하나요, 아니면 하나님을 믿고 의지해야 하나요? 하나님을 믿고 의지해야 한다
3. 우리는 하나님께 어떤 것을, 어떻게 드려야 하나요? 가장 좋은 것을 가장 먼저 드려야 한다
4. 하나님은 왜 우리를 꾸짖으실까요? 우리를 사랑하시기 때문이다
5. 우리는 악한 일을 하는 사람들을 어떻게 대해야 할까요? 멀리해야 한다

넷 — 성경의 초점

2단원의 '성경의 초점'을 기억하나요? 함께 말해 볼까요? **"지혜는 어디서 오나요?"**, **"지혜는 하나님께로부터 와요."** 하나님만 우리에게 지혜를 주실 수 있어요. **지혜는 하나님을 사랑하고 하나님의 말씀에 순종하는 거예요.** 솔로몬이 지혜를 구하자 하나님은 솔로몬에게 지혜를 주셨어요. 솔로몬은 하나님께 지혜를 받아 하나님의 계획을 따라가고 싶었어요.

다섯 — 복음 초청

성경과 36쪽 복음 초청 가이드를 이용해서 아이들에게 그리스도인이 되는 법을 설명해 준다. 따로 상담해 줄 사람을 정해 주고 궁금한 점이 있으면 물어보도록 격려한다.

이 시간 예수님을 믿고 마음에 모시고 싶은 친구는 함께 기도해요.

여섯 — 기도

하나님, 우리는 죄를 짓고 잘못된 결정을 할 때가 많아요. 그런 우리에게 예수님을 보내 주셔서 우리를 지혜롭게 하시고, 거룩하게 하시고, 죄에서 자유롭게 해 주셔서 감사해요. 솔로몬과 같이 하나님의 계획을 따라가는 우리가 되게 해 주세요. 예수님의 이름으로 기도합니다. 아멘.

일곱 — 암송송

성경에서 잠언 2장 6~7절을 펴고 큰 소리로 여러 번 따라 읽게 한다.

우리는 많은 것을 배울 수 있지만, 많이 안다고 해서 지혜로워지는 것은 아니에요. 지혜는 우리가 배워서 얻을 수 있는 것이 아니기 때문이에요. 지혜는 하나님이 주시는 선물이에요. 우리는 하나님께 지혜롭게 해 달라고 기도할 수 있어요. 우리가 기도하면 하나님이 우리의 기도를 들어주셔서 우리를 지혜롭게 해 주세요.

암송송(161쪽)에 맞추어 손유희를 하며 말씀을 익힌다.

"대저 여호와는 지혜를 주시며 지식과 명철을 그 입에서 내심이며 그는 정직한 자를 위하여 완전한 지혜를 예비하시며 행실이 온전한 자에게 방패가 되시나니"(잠 2:6~7).

`tip` 전체 구절 암송이 어려운 경우에는 표시 부분을 발췌해 외워도 좋다.

알콩달콩 — 말씀 놀이

지혜 지갑을 만들어요

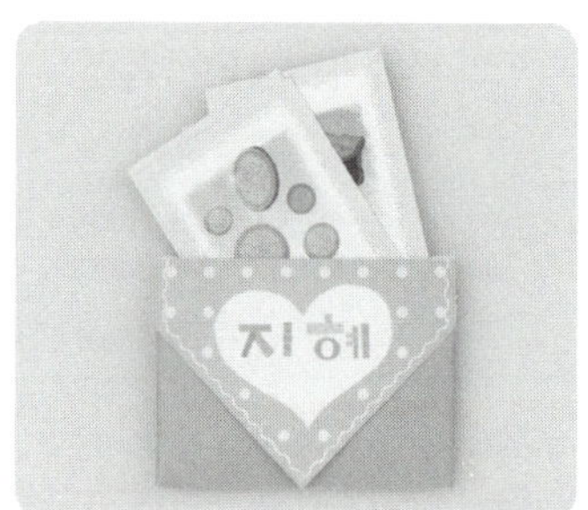

❶ '지혜 지갑'을 만들어 보자고 한다.

❷ 유치부 교재 31쪽 '지혜 지갑' 색종이를 떼어 접는 설명대로 '지혜 지갑'을 완성하게 한다.

❸ 유치부 교재 33쪽 '지혜 카드'를 떼어 카드에 적힌 문장을 선생님을 따라 하나하나 큰 소리로 읽을 수 있도록 지도하고 지혜롭게 살아가는 방법이 무엇인지 이야기를 나누어 보는 시간을 갖는다.

❹ ❷에 ❸을 넣어 소중히 보관하고 집에 가져갈 수 있도록 지도한다.

이야기 나누기
- 지혜는 어디에서 오나요?
- 성경에 기록된 지혜는 어떤 것들이 있나요? ('지혜 카드' 참조)

인도자 **지혜는 하나님을 사랑하고 하나님의 말씀에 순종하는 거예요.** 이 세상 모든 것을 창조하신 하나님이 우리에게 지혜를 주세요. 하나님은 이 세상을 만드신 분이기 때문에 이 세상이 어떻게 해야 잘 움직이는지도 가장 잘 아세요. 사람들이 어떻게 살아야 하는지에 대해 가장 잘 아는 분도 하나님이세요. 누구나 죄를 짓고 어리석은 결정을 하지만, 하나님은 그런 우리를 구원하기 위해 아들이신 예수님을 보내셨어요. 예수님은 우리를 죄에서 구원하시고, 지혜롭고 거룩하게 하세요.

성경을 전달해요 ✳

❶ 아이들을 마주 보고 둥글게 앉히고 CD플레이어를 이용해 2단원 찬양 "지혜의 말씀"을 틀고 다 같이 불러 본다.

❷ 한 아이에게 성경책을 주고 아주 소중히 여기는 마음으로, 마치 기쁜 소식인 복음을 전하듯이 오른쪽에 앉은 친구에게 건네라고 한다. 같은 활동을 반복하면 된다고 말해 준다.

❸ 인도자가 중간중간 찬양 음원을 멈춘다. 찬양이 멈춘 순간 성경책을 들고 있는 아이는 8과의 주제("지혜는 하나님을 사랑하고 하나님의 말씀에 순종하는 거예요")를 말해야 한다는 게임의 규칙을 설명해 준다.

❹ 모든 아이가 적어도 한 번씩 8과의 주제를 말할 때까지 활동을 반복한다.

> **인도자** 성경은 세상에서 제일 중요한 책이에요. 성경에는 하나님의 말씀이 들어 있기 때문이에요. 우리는 성경을 통해 무엇이 지혜인지 배울 수 있어요. **지혜는 하나님을 사랑하고 하나님의 말씀에 순종하는 거예요.** 오늘 우리가 전달한 성경을 많이 읽으면 하나님이 말씀을 통해 지혜를 알려 주세요. 우리 모두 성경을 사랑해요!

무엇을 선택할까요? ✱

❶ 173~174쪽 '선택' 카드(또는 지도자용 팩)을 잘라 둔다.

❷ 인도자가 어떤 상황을 설명하고 나서 '선택' 카드 중에서 해당하는 물건이 각각 그려진 그림 2장을 들어서 아이들에게 보여 준다.

에) • **"농구를 하고 싶어요"** : 농구공 또는 축구공
  • **"바깥 날씨가 추워요"** : 점퍼 또는 반바지
  • **"밖에 비가 와요"** : 우산 또는 책가방
  • **"간식을 먹고 싶어요"** : 과일 또는 사탕
  • **"국수를 먹고 있어요"** : 포크 또는 숟가락
  • **"그림을 그리고 싶어요"** : 붓 또는 갈퀴

❸ 2장의 카드 중에서 "무엇을 선택할까요?" 하고 아이들에게 묻고 답을 들어 본다. 아이들 중 한 명을 지목해 왜 그것이 가장 지혜로운 선택인지 물어본다.

> **인도자** 어떤 것이 지혜로운 선택인지 잘 골랐어요! 우리는 날마다 선택을 해야 해요. 이것이 좋은지, 아니면 다른 것이 좋은지 잘 모를 때가 있지요. 그리고 어떤 경우에는 정말 잘못된 선택을 해서 아주 슬픈 상황이 찾아오기도 해요. 우리가 항상 하나님이 주신 지혜로 지혜로운 선택을 한다면 정말 좋겠어요. 하나님이 우리에게 지혜를 주세요. **지혜는 하나님을 사랑하고 하나님의 말씀에 순종하는 거예요.**

'의자는 내 거야' 놀이를 해요 ✱

❶ 아이들 수보다 하나 적은 수의 의자를 앉는 곳이 밖을 향하도록 둥그렇게 놓아 둔다.

❷ 찬양이 나오는 동안 의자 주위를 천천히 걸어서 빙글빙글 돌다가 인도자가 찬양 음원을 멈추면 모두 의자에 앉아야 한다고 말해 준다.

❸ 의자에 앉지 못한 아이가 2단원의 '성경의 초점' 질문("지혜는 어디서 오나요?")을 하면 나머지 아이들이 답("지혜는 하나님께로부터 와요.")을 하면 된다고 말해 준다.

❹ 시간 여유가 있다면 활동을 여러 번 반복한다.

> **인도자** 정말 잘했어요! 다시 한 번 물어볼게요. **지혜는 어디서 오나요?** 아이들의 대답을 기다린다. 맞아요, **지혜는 하나님께로부터 와요.** 그렇다면 또 하나의 질문에도 답해 보세요. 지혜는 무엇인가요? **지혜는 하나님을 사랑하고 하나님의 말씀에 순종하는 거예요.** 하나님을 사랑하고 하나님의 말씀에 순종하는 지혜는 하나님이 우리에게 주시는 것이랍니다. 여러분 모두 지혜를 갖고 싶지요? 하나님께 구하면 하나님이 주세요. "하나님, 제게 지혜를 주세요" 하고 기도해 볼까요? "하나님, 우리에게 지혜를 주세요. 그래서 하나님을 사랑하고 하나님의 말씀에 순종하며 살게 해 주세요. 예수님의 이름으로 기도합니다. 아멘."

색깔 길을 따라가요! *

❶ 예배실 바닥에 3가지 색깔의 컬러 박스 테이프를 이용해 길을 만들되 서로 교차하도록 붙여 둔다. 각 색깔의 길의 도착점에 뚜껑이 있는 상자를 각각 놓되, 3개 중 하나에만 과자를 넣어 둔다. 이때 아이들이 알지 못하도록 주의한다.

❷ 아이들을 한 줄로 길게 세우고, 3가지 색깔의 길 중에서 하나를 선택해 따라가 도착 지점에 놓인 상자의 뚜껑을 열어 과자가 있는지, 자신의 선택이 옳았는지 확인해 보라고 한다.

> tip 자신이 선택한 색깔의 길로만 가야 하며 다른 색깔의 길로 빠져서는 안 된다고 주의를 준다.

> **인도자** 과자가 놓인 길을 선택한 아이들에게 한 가지 물어볼게요. 지혜롭게 답해 주세요. 우리가 받은 과자를 언제 먹으면 좋을까요? 아이들의 대답을 기다린다. 정말 지혜롭게 잘 말해 주었어요. 과자를 받지 못한 친구들이 있으니 지금 먹지 말고 꼭 집에 가서 부모님과 함께 나누어 먹도록 해요. 여러분은 참 지혜롭네요! 성경에서 잠언이라는 책은 솔로몬이 하나님이 주신 지혜를 가지고 쓴 글들을 모아 놓은 거예요. 잠언은 우리가 하나님을 믿고, 의지하고, 하나님을 생각하면서 모든 일을 하면 하나님이 우리를 올바른 길로 이끄실 것이라고 말해요. 하나님이 우리에게 지혜를 주세요. **지혜는 하나님을 사랑하고 하나님의 말씀에 순종하는 거예요.** 예수님은 우리를 죄에서 구원하시고, 지혜롭고 거룩하게 하세요.

간식

준비물 ▶ 크래커, 꿀, 작은 그릇

❶ 카운트다운 영상, 정리하기 노래 등을 활용해 활동이 끝났음을 알린다. 아이들에게 주변을 정리하게 하고, 화장실에 가거나 물티슈 등을 이용해 손을 씻을 시간을 준다.

❷ 감사 기도를 드리고 크래커와 작은 그릇에 담은 꿀을 간식으로 나누어 준다. 크래커를 꿀에 찍어 먹을 수 있도록 지도한다. 아이들이 간식을 먹는 동안 잠언 24장 13~14절을 읽어 준다. 성경은 꿀이 우리 입에 맛있듯이 지혜도 우리의 영혼에 좋다고 말한다고 아이들에게 이야기해 준다. 아이들에게 지혜는 하나님을 사랑하고 하나님의 말씀에 순종하는 것이라고 다시 한 번 말해 준다.

❸ 간식을 먹은 후 마무리 정리를 잘하도록 지도한다.

마무리

준비물 ▶ 유치부 교재 41쪽 메시지 카드, 소그룹 활동지, 파일

❶ 이번 주 메시지 카드로 부모님과 함께 오늘 배운 성경 이야기를 나누어 보라고 한다.

가족과 활동해요

• 한 주 동안 가족이 어떤 결정을 내리는지 주의 깊게 살펴보세요. 지혜로운 결정은 칭찬해 주고, 잘못된 결정은 부드럽게 고쳐 주세요.

• '우리 가족 지혜 책'을 만들어 성경적 원리에 따른 지혜로운 규칙이나 습관 등을 기록해 보세요.

❷ 소그룹 활동지를 떼어 파일에 끼우고 가방에 정리하게 한다.

❸ 아이들을 위해 기도한다.

인도자 하나님, 지혜는 하나님이 주시는 선물이라고 배웠어요. 우리에게도 지혜의 선물을 주세요. 우리가 하나님을 사랑하고 하나님의 말씀에 순종할 수 있도록 도와주셔서 감사해요. 예수님을 보내 우리를 죄에서 자유롭게 하시고 거룩하고 지혜롭게 해 주셔서 감사해요. 예수님의 이름으로 기도합니다 아멘

❹ 아이를 데리러 온 부모에게 아이가 특별히 즐거워했거나 잘했던 활동들에 대해 이야기해 주고, 가정에서 성경 읽기와 가족 활동을 진행할 수 있도록 격려한다.

나만의 기록장

지혜로운(하나님께 순종하는) 내 모습 그리기

예수님 중심의 스토리텔링이 왜 중요할까요?

저는 교회 안에서 자랐지만, 최근에서야 성경의 모든 이야기가 예수님을 통해 우리를 구원하시려는 하나님의 계획이라는 큰 이야기로 연결되어 있다는 사실을 알게 되었습니다. 하나님의 구원 이야기라는 전체 흐름을 무시하고 성경을 조각조각 잘라 가르치는 것은 바람직하지 않습니다. 아이들의 성경 공부 커리큘럼에는 반드시 전체 이야기가 들어 있어야 합니다.

1. 예수님 중심의 스토리텔링은 교회를 율법주의로부터 보호합니다

성경 이야기에는 정보 이상의 것이 담겨 있습니다. 이야기를 들으면 흐름이 이해됩니다. 이해 없는 정보만으로는 율법주의에 빠지기 쉽습니다. 율법주의는 절대 순종할 수 없을 것 같다고 포기하는 아이들을 양산하고 그들을 교회 밖으로 몰아내는 한편, 순종하는 아이들에게는 '자기 의'를 심어 줍니다. 예수님 중심의 스토리텔링은 끊임없이 예수님을 향한 소망을 심어 주기 때문에 우리가 예수님보다 율법과 전통에 집착하는 우를 범하지 않도록 도와줍니다.

2. 예수님 중심의 스토리텔링에서 맥락을 발견할 수 있습니다

아이들은 자꾸 "왜?"라고 묻습니다. 이야기의 배경을 알고 그 속에 자신을 대입시켜 보고 싶어서입니다. 저는 맥락에 대한 적절한 설명 없이 다윗과 골리앗 이야기를 들었을 때, 힘센 친구들에게 용감하게 맞서야 한다는 교훈을 얻었습니다. 예기치 못한 구원자가 나타나 무시무시한 적을 물리치고 구원받을 자격이 없는 사람들을 죄에서 자유롭게 하는 이야기라고는 생각하지 못했습니다. 상상 속 이야기에서 나는 다윗이었습니다. 하지만 사실 나는 누구인가요?

나는 사울입니다. 다윗을 보호해 주려고 애쓰면서 그를 도울 수 있다고 확신하고 있습니다. 나는 다윗의 형입니다. 감히 내 전투에 끼어든 동생에게 화를 내고 있습니다. 나는 이스라엘 군인입니다. 두려움에 떨며 나 자신도 지키지 못하고 있기 때문입니다. 나는 다윗이 아닙니다. 예수님이 다윗이십니다. 다윗 이야기는 내 이야기가 아니라 예수님 이야기입니다.

3. 예수님 중심의 스토리텔링은 우리를 하나님과 이어 줍니다

예수님도 한때는 아기였습니다. 상상이 가십니까? 예수님도 대소변을 가리지 못하시던 때가 있었단 말입니다. 불경하게 들리겠지만, 엄연한 사실입니다. 우리가 가르치는 아이들은 하나님이 사람이 되기 위해 겪으신 낮아지심을 가늠하지 못합니다. 우리를 하나님과 연관 지으려면 얼마나 많은 예수님 이야기가 필요하겠습니까? 기억하시기 바랍니다. "이야기 하나 들려주세요!" 이 말은 그저 아이들을 즐겁게 해 주는 것 이상의 의미를 담고 있습니다.

라이프웨이(LifeWay) 어린이 편집부

9 솔로몬이 성전을 지었어요

[왕상 6~8장]

주제	하나님은 솔로몬에게 성전을 짓게 하셨어요.
예수님 생각하기	하나님은 거룩하세요. 예수님이 오시기 전에는 죄 때문에 오직 대제사장만이 특별한 절차를 거쳐 거룩하신 하나님이 계신 지성소에 들어갈 수 있었어요. 그러나 예수님이 이 모든 것을 바꾸셨어요. 이제 우리의 모든 죄를 없애 주신 예수님을 믿는 사람은 누구나 하나님께 나아갈 수 있어요.
단원 암송	잠 2:6~7
성경의 초점	지혜는 어디서 오나요? 지혜는 하나님께로부터 와요.

다윗은 하나님을 위해 성전을 짓고 싶었지만 하나님이 허락하지 않으셨습니다. 하나님은 다윗의 아들 솔로몬이 성전을 지을 것이라고 말씀하셨습니다. "네 수한이 차서 네 조상들과 함께 누울 때에 내가 네 몸에서 날 네 씨를 네 뒤에 세워 그의 나라를 견고하게 하리라 그는 내 이름을 위하여 집을 건축할 것이요 나는 그의 나라 왕위를 영원히 견고하게 하리라"(삼하 7:12~13).

왕이 된 솔로몬은 성전을 지을 재료들을 모으기 시작했습니다. 그는 백향목과 잣나무를 레바논에서 뗏목으로 실어 오도록 했습니다. 솔로몬은 이스라엘 모든 지역에서 3만 명의 일꾼들을 모아 성전을 건축할 돌을 캐내고 목재를 다듬게 했습니다.

성전은 매우 정교하게 만들어졌습니다. 성전의 내부는 백향목으로 만든 후 순금을 입혔습니다. 솔로몬이 이스라엘왕이 된 지 4년 무렵에 시작된 성전 건축은 완공하기까지 7년이 걸렸습니다. 또한 솔로몬은 금제단과 금상들, 순금 등대와 같은 하나님의 성전에 둘 모든 기구를 금으로 만들었습니다(왕상 7:48~50 참조).

성전을 봉헌할 때가 되자 이스라엘 백성은 예루살렘으로 모였습니다. 제사장들이 언약궤를 지성소로 옮기자 구름이 여호와의 성전을 가득 채웠습니다. 여호와의 영광이 성전에 가득 찬 것입니다.

솔로몬은 하나님께 기도했고, 다윗과의 언약을 지키신 하나님을 찬양했습니다. 그는 하나님이 성전에만 거하시는 분이 아님을 알았습니다. 솔로몬은 이렇게 말했습니다. "하나님이 참으로 땅에 거하시리이까 하늘과 하늘들의 하늘이라도 주를 용납하지 못하겠거든 하물며 내가 건축한 이 성전이오리이까"(왕상 8:27). 솔로몬은 이스라엘 백성과 함께 하나님께 어마어마한 양의 제물로 제사를 드렸습니다.

●● 티칭 포인트

성전은 하나님이 하나님의 백성과 만나시는 곳이었고, 하나님의 백성이 하나님께 예배를 드리는 장소였다는 것을 아이들에게 알려 주십시오. 제사장들조차 특별한 절차를 따라야만 하나님의 백성을 대표해 하나님께 나아갈 수 있었습니다. 예수님은 우리를 위해 십자가에서 죽으심으로 이 모든 것을 바꾸셨습니다. 우리의 죄를 짊어지신 예수님이 죄인들이 하나님께 나아갈 수 있는 길을 열어 놓으셨다는 것을 아이들이 기억할 수 있게 도와주십시오.

솔로몬이 성전을 지었어요

왕상 6~8장

하나님은 솔로몬을 아주 지혜로운 왕으로 만드셨어요. 어느 날 솔로몬은 하나님을 위해 성전 짓는 일을 시작했어요. 하나님은 이스라엘 백성을 이집트에서 구원하신 날부터 줄곧 천막에서 그들을 만나셨어요. 이제 하나님은 솔로몬이 하나님을 위해 성전을 짓도록 허락하셨어요. 성전을 짓는 것은 대단한 일이었어요! 성전을 지으려면 아주 많은 사람이 필요했어요. 일꾼들은 백향목 나무를 베었고, 큰 돌들을 깎았어요. 성전의 기초를 놓고 벽을 쌓아 올리기 위해 열심히 일했지요.

하나님은 솔로몬에게 약속하셨어요. "만약 네가 내 명령을 지키고 순종하면 내가 네 아버지 다윗에게 한 약속을 너를 통해 이룰 것이다. 또한 내가 이스라엘 백성 가운데 살 것이며, 내 백성을 결코 버리지 않을 것이다."

7년이나 걸려 완성된 성전은 정말 아름다웠어요! 성전 안쪽 벽에는 백향목 널빤지를 둘렀어요. 널빤지에 조롱박과 활짝 핀 꽃을 새겨 넣은 다음, 전체에 순금을 입혔어요. 솔로몬은 대장장이를 시켜 물을 담을 놋그릇과 같은 성전에서 쓸 놋기구들을 만들게 했어요.

이제 성전은 완성되었고, 솔로몬이 하나님의 언약궤를 새로 지은 성전으로 가져올 차례였지요. 솔로몬은 이스라엘의 지도자들을 불러 모았어요. 제사장들은 언약궤와 성막과 그 안에 있는 거룩한 물건들을 성전으로 옮겼어요. 그동안 솔로몬과 그곳에 모인 사람들은 하나님께 양과 소를 제물로 드렸어요. 양과 소가 얼마나 많은지, 셀 수 없을 정도였어요!

제사장들은 언약궤를 성전 안 지성소에 두었어요. 지성소는 '하나님이 계시는 가장 거룩한 곳'이었어요. 지성소는 성전의 가장 안쪽에 있었어요.

제사장들이 나오자 구름이 성전에 가득 찼어요. 하나님의 영광이 성전에 가득했어요. 솔로몬이 이스라엘 백성에게 말했어요. "하나님을 찬양합시다! 하나님은 제 아버지이신 다윗에게 '네 아들이 성전을 지을 것이다'라고 약속하셨는데, 오늘 그 약속을 지키셨습니다!" 솔로몬은 하늘을 향해 팔을 들고 기도했어요. "하나님, 하늘 위에도, 땅 밑에도 주와 같은 분은 없습니다!"

솔로몬은 백성을 바라보며 하나님을 사랑하고 하나님의 말씀에 순종하라고 당부했어요. 사람들은 좋으신 하나님을 생각하면서 기뻐하고 즐거워하며 집으로 돌아갔어요.

● ● 예수님 생각하기

하나님은 거룩하세요. 예수님이 오시기 전에는 죄 때문에 오직 대제사장만이 특별한 절차를 거쳐 거룩하신 하나님이 계신 지성소에 들어갈 수 있었어요. 그러나 예수님이 이 모든 것을 바꾸셨어요. 이제 우리의 모든 죄를 없애 주신 예수님을 믿는 사람은 누구나 하나님께 나아갈 수 있어요.

가스펠
준비

😄 환영해요

"지혜의 말씀"(지도자용 팩)을 튼다. 아이들을 반갑게 맞이하며 헌금과 기도를 도와준다. 예배 중 헌금 순서가 있다면 아이들이 헌금을 잘 간수하도록 돕는다. 가방과 외투를 정리하도록 안내한다. 새로 온 아이가 있다면 음수대와 화장실의 위치를 알려 주고, 보호자와 만나는 시간과 방법 등을 소개한다. 보호자들을 위한 안내문을 붙여 아이와 만나는 시간, 기다리는 장소, 헌금 방법, 아이에 대한 특별한 주의 사항을 교사에게 미리 알려 주기 등을 공지한다.

😄 마음 열기

주제와 관련 있는 퍼즐이나 블록 등 아이들이 좋아하는 장난감을 몇 가지 비치해 두고 다양한 활동을 하며 예배를 준비하도록 돕는다. 아이들이 마음을 열고 오늘의 주제에 관심을 갖게 하며 예배에 집중할 수 있도록 도와준다. 교회 형편에 맞게 시간과 활동 방법을 조절한다.

구름기둥과 불기둥 놀이를 해요 ✱

준비물 ▶ 빨간색·흰색 두꺼운 도화지, 가위

❶ 빨간색과 흰색 두꺼운 도화지를 기둥 모양으로 잘라 '구름기둥'(흰색)과 '불기둥'(빨간색)을 만들어 둔다.

❷ 2명의 아이를 뽑아 각각 '구름기둥'과 '불기둥'을 나누어 준다.

❸ '구름 기둥'을 든 아이가 예배실을 살짝 빠른 걸음으로 돌아다니면 나머지 아이들이 '이스라엘 백성'이 되어 뒤따라가면 된다고 말해 준다.

❹ 이번에는 예배실의 조명을 약간 어둡게 한 후 '불기둥'을 든 아이를 앞세워 ❸의 활동을 반복한다.

❺ '구름기둥'을 든 아이와 '불기둥'을 든 아이를 바꾸어 가며 활동을 여러 번 반복한다.

인도자 하나님의 백성은 오랜 세월 동안 낮에는 구름기둥을, 밤에는 불기둥을 따라다녔어요. 구름기둥과 불기둥은 하나님이 그들과 함께하시며 그들을 이끌고 계신다는 표시였지요. 하나님의 백성은 어디를 가든지 성막을 들고 다녔어요. 성막은 하나님이 하나님의 백성과 만나 주시는 천막이었어요. 사람들은 구름기둥과 불기둥이 멈추는 곳에 성막을 세웠고, 그 주변에 머물렀어요. 이제 하나님은 하나님의 백성이 하나님과 만날 수 있는 성전을 주시려고 해요. 성전이 어떻게 지어졌는지 궁금하지요? 함께 알아보도록 해요.

예수님을 초대해요 ✳

❶ 169쪽 '여러 모양의 집' 그림(또는 지도자용 팩)을 잘 보이게 펼쳐 놓는다.

❷ 아이들에게 어떤 집으로 예수님을 초대하고 싶은지 물어보고 친구와 이야기를 나누어 보라고 한다.

❸ 한 사람씩 차례대로 어떤 집을, 왜 골랐는지 발표하는 시간을 갖는다.

❹ A4 용지를 나누어 주고 예수님을 초대하고 싶은 나만의 멋지고 예쁜 집을 상상해서 그려 보라고 한다.

> **인도자** 정말 잘했어요! 예수님이 오셔서 정말 기뻐하실 것 같아요. 5과의 성경 이야기에서 다윗왕이 하나님의 집을 짓고 싶다고 했던 것 기억하고 있나요? 드디어 오늘의 성경 이야기에서 하나님의 집이 완성되어요. 이 집은 하나님이 지으셨는데 우리가 상상해서 그린 멋지고 예쁜 집과 비슷했을까요? 침대와 식탁이 있는 집이었을까요? 어떤 모습이었을지 궁금하지요? 함께 살펴보아요.

천막에서 놀아요 ✳

❶ 팝업 텐트를 치거나 책상과 의자에 담요를 덮어 '천막'을 꾸며 놓는다. '천막' 안에 9과의 주제와 관련된 성경 동화책 여러 권을 놓아 둔다.

❷ 아이들과 함께 '천막'에 들어가 성경 동화책을 읽으며 이스라엘 백성과 성막에 대해 생각하는 시간을 갖는다.

> **인도자** 우리는 5과 "하나님이 다윗과 언약을 맺으셨어요"에서 다윗왕이 자신의 아름다운 궁전을 둘러보다가 하나님의 궤가 성막, 즉 하나님이 거하시는 천막에 있다는 사실을 떠올리고는 하나님을 위해 성전을 짓고 싶어 했던 이야기를 공부했어요. 그때 다윗이 성전을 짓도록 하나님이 허락하셨나요? 아이들의 대답을 기다린다. 하나님은 다윗의 아들이 성전을 짓게 될 것이라고 말씀하셨지요. 다들 잘 기억하고 있네요. 오늘의 성경 이야기에서 정말 다윗의 아들 솔로몬이 성전을 지었는지 알 수 있어요. 귀기울여 들어 보세요.

예배 대형으로 모이기

- 카운트다운 영상, 모이기 노래 등을 활용해 예배 대형으로 바꾸고 마음을 준비하게 한다.
- 공간을 이동해야 한다면 '너랑 나랑 마음 열기' 중 '구름기둥과 불기둥 놀이를 해요' 활동을 다시 하며 가도록 한다.

가스펠 설교

하나 — 들어가기

블록을 이용해 집을 만들어 둔다.

여러분, 제가 만든 집 좀 보세요! 멋지지요? 오늘의 성경 이야기는 바로 집을 짓는 이야기예요. 그 집은 아주 특별한 집이었어요. 바로 하나님의 집인 성전이었답니다!

둘 — 성경 이야기

열왕기상 6~8장을 편다. 설교 영상(지도자용 팩)을 보여 주거나 이야기 성경을 들려준다.

우리가 왜 성경이 이 세상에서 가장 특별한 책이라고 말하는 것일까요? 아이들의 대답을 기다린다. 맞아요! 성경은 진짜 있었던 일에 대한 이야기이고, 하나님의 말씀이 들어 있기 때문이에요. 오늘의 성경 이야기는 '열왕기상'에 나와요.

셋 — 메시지와 정리

하나님은 다윗왕이 짓고 싶어 했던 성전을 그의 아들 솔로몬이 짓게 하셨어요. 성전은 정말 아름다웠어요. 하지만 성전보다 더 아름다운 하나님의 영광이 성전을 가득 채웠어요. 성전 안의 지성소에는 대제사장만이 들어갈 수 있는 아주 특별한 장소가 있었어요. 그곳은 바로 지성소였어요. 지성소는 '하나님이 계시는 가장 거룩한 곳'이었어요. 대제사장은 일 년에 한 번 지성소에 들어가 하나님께 백성의 죄를 용서해 달라고 제사를 드렸어요. 대제사장도 지성소에 들어갈 때 특별한 절차를 거쳐야만 했지요. 그 역시 죄인이었기 때문이에요. 하지만 우리는 대제사장을 통하지 않아도 하나님께 직접 말할 수 있어요. 예수님이 십자가에서 죽으실 때 우리의 죄를 영원히 없애 주셨기 때문이에요. 이제 예수님을 믿는 사람은 언제든지 직접 하나님께 이야기할 수 있게 되었답니다.

연대표(지도자용 팩)를 가리키면서 복습 질문을 한다.

1. 하나님이 백성과 만나신 곳으로서 천막과 같은 곳을 무엇이라고 하나요? 성막
2. 솔로몬은 성막 대신 무엇을 지었나요? 성전
3. 제사장들은 지성소에 무엇을 두었나요? 하나님의 궤

4. 제사장들이 언약궤를 놓고 나오자 무엇이 성전에 가득 찼나요? 구름

5. 구름 안에 무엇이 있었나요? 하나님의 영광

6. 하나님은 솔로몬에게 어떤 약속을 하셨나요? 솔로몬이 하나님께 순종하면, 하나님은 이스라엘 백성을 떠나지 않을 것이라고 약속하셨다

넷 — 성경의 초점

2단원의 '성경의 초점'을 기억하고 있나요? 그럼 질문에 답해 보세요. **"지혜는 어디서 오나요?"** 아이들의 대답을 기다린다. 잘했어요. **"지혜는 하나님께로부터 와요."** 솔로몬왕은 이스라엘 백성이 하나님을 사랑하도록 이끌고, 하나님의 말씀을 따른 지혜로운 왕이었어요.

다섯 — 복음 초청

성경과 36쪽 복음 초청 가이드를 이용해서 아이들에게 그리스도인이 되는 법을 설명해 준다. 때로 상담해 줄 사람을 정해 주고 궁금한 점이 있으면 물어보도록 격려한다.

이 시간 예수님을 믿고 마음에 모시고 싶은 친구는 함께 기도해요.

여섯 — 기도

언제나 우리와 함께하시는 사랑의 하나님, 감사해요. 지금 우리는 이스라엘 백성처럼 성막에서나 성전에서 제사장의 도움을 받지 않아도 언제나 어디에서나 하나님을 직접 만날 수 있게 되었어요. 예수님을 통해 이런 길을 열어 주셔서 감사해요. 우리가 날마다 하나님을 만나고 싶은 마음을 가질 수 있도록 성령님, 도와주세요. 예수님의 이름으로 기도합니다. 아멘.

일곱 — 암송송

성경에서 잠언 2장 6~7절을 펴고 큰 소리로 여러 번 따라 읽게 한다.

하나님이 우리에게 지혜를 주세요. 지혜는 하나님이 주시는 선물이에요. 하나님이 주시는 지혜는 완전한 지혜예요. 하나님께 지혜롭게 해 달라고 기도하세요. 그러면 우리를 사랑하시는 하나님이 우리에게 지혜를 넘치도록 주세요.

암송송(161쪽)에 맞추어 손유희를 하며 말씀을 익힌다.

"대저 여호와는 지혜를 주시며 지식과 명철을 그 입에서 내심이며 그는 정직한 자를 위하여 완전한 지혜를 예비하시며 행실이 온전한 자에게 방패가 되시나니"(잠 2:6~7).

tip 전체 구절 암송이 어려운 경우에는 표시 부분을 발췌해 외워도 좋다.

가스펠 소그룹

말씀 놀이

하나님을 위한 성전을 지었어요

준비물 ▶ 유치부 교재 20쪽, 색연필

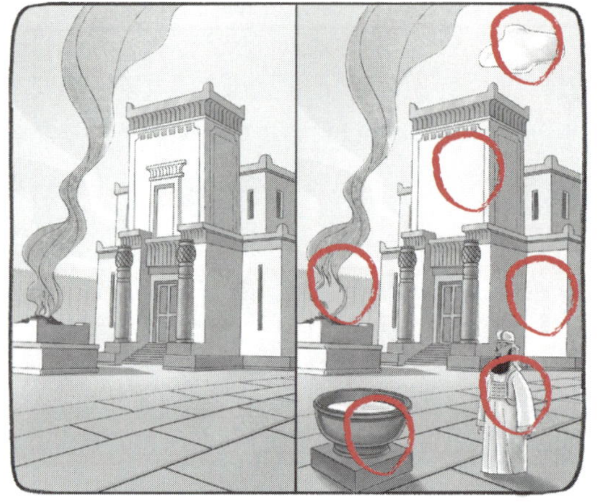

이야기 나누기

- 성전에는 하나님을 만나기 위한 특별한 장소가 있었어요. 누가 그곳에 들어갈 수 있었나요?
- 지금은 누가 하나님을 만날 수 있나요?

❶ 솔로몬왕이 하나님을 위해 지은 성전의 모습이라고 설명해 준다.

❷ 두 그림을 자세히 보고 다른 그림 6곳에 ○표 하라고 한다.

인도자 **하나님은 솔로몬에게 성전을 짓게 하셨어요.** 솔로몬은 하나님의 집, 성전을 멋지게 완공했어요. 그런데 하나님은 거룩하시기 때문에 성전에서도 하나님이 계시는 가장 거룩한 곳인 지성소에는 죄인들이 함부로 들어갈 수 없었어요. 오직 대제사장만이 특별한 절차를 거쳐 지성소에 들어갈 수 있었지요. 그러나 예수님이 이 모든 것을 바꾸셨어요. 이제 우리의 모든 죄를 없애 주신 예수님을 믿는 사람은 누구나 하나님께 나아갈 수 있어요.

성전을 지어 보아요 ✱

준비물 ▶ 블록

❶ 아이들과 함께 블록으로 아름다운 성전을 만들어 본다. 오늘의 성경 이야기 중에서 성전 짓는 모습에 해당하는 부분을 다시 한 번 읽어 주어 아이들이 성전을 짓는 데 참고할 수 있도록 한다.

예) 일꾼들은 백향목 나무를 베었고, 큰 돌들을 깎았어요. 성전의 기초를 놓고 벽을 쌓아 올리기 위해 열심히 일했지요. 성전 안쪽 벽에는 백향목 널빤지를 둘렀어요. 널빤지에 조롱박과 활짝 핀 꽃을 새겨 넣은 다음, 전체에 순금을 입혔어요. 솔로몬은 대장장이를 시켜 물을 담을 놋그릇과 같은 성전에서 쓸 놋기구들을 만들게 했어요.

❷ 블록 성전을 완성하면 아이들과 함께 하나님께 기도하거나 찬양을 드리며 하나님께 영광을 돌린다.

> **인도자** **하나님은 솔로몬에게 성전을 짓게 하셨어요.** 성전을 짓는 것은 대단한 일이었어요! 솔로몬은 성전 짓는 일을 도와줄 사람이 아주 많이 필요했어요. 일꾼들은 7년 동안이나 열심히 일해 성전을 정말 아름답게 지었어요! 마침내 성전이 완성되었어요! 하나님의 백성은 이제 한곳에서 하나님께 예배드릴 수 있게 되었어요.

가축을 분류해요 ✳

준비물 ▶ 가축 모형(소, 양 포함)

❶ 아이들이 가축 모형을 이용해 놀이를 할 수 있도록 지도한다.

❷ 아이들에게 가축들을 다양한 방법으로 분류해 보라고 한다.

예) 색깔, 모양, 이름 글자 수, 다리 수, 울음 소리 등.

❸ 소와 양을 따로 모아 보라고 한다.

> **인도자** **하나님은 솔로몬에게 성전을 짓게 하셨어요.** 성전이 완성되자 솔로몬왕과 이스라엘 백성은 하나님께 소와 양을 제물로 드렸어요. 소와 양이 얼마나 많은지, 셀 수 없을 정도였지요! 그런데 이제 우리는 더 이상 소나 양을 제물로 드릴 필요가 없어요. 예수님이 십자가에서 죽으실 때 자기 생명을 제물로 드리셨기 때문이에요. 예수님을 믿고 의지하는 사람은 누구나 하나님께 직접 이야기할 수 있게 되었답니다. 모두 예수님 덕분이에요. 예수님께 감사드려요!

구름 페인트로 그림을 그려요 ✳

준비물 ▶ 면도 크림, 흰색 풀, 금색(노란색) 도화지,
일회용 그릇, 일회용 숟가락, 스펀지 조각

❶ 일회용 그릇에 면도 크림과 흰색 풀을 3 대 1의 비율로 넣고, 일회용 숟가락으로 섞어 '구름 페인트'를 만든다.

❷ 아이들에게 금색 도화지를 한 장씩 나누어 준다.

❸ '구름 페인트'에 스펀지 조각을 찍어서 ❷에 구름 모양을 그려 보라고 한다. 다양한 구름 모양을 만들 수 있도록 인도자가 시범을 보여 주어도 좋다.

예) 덩어리로 층을 이룬 구름(두루마리구름), 솜을 쌓아 놓은 것처럼 몽실몽실한 구름(뭉게구름), 하늘 높이 솟아오른 구름(소나기구름), 땅 위에 가장 가까이 층을 이루는 구름(안개구름) 등.

❹ 완성된 그림을 마를 때까지 안전한 곳에 보관한 후 집으로 가져갈 수 있도록 지도한다.

> **인도자** **하나님은 솔로몬에게 성전을 짓게 하셨어요.** 성전이 완성되자 제사장들이 하나님의 언약궤를 성전 안 지성소로 옮겼어요. 지성소는 '하나님이 계시는 가장 거룩한 곳'이었어요. 제사장들이 밖으로 나오자 성전이 구름으로 가득 찼어요. 하나님의 영광이 성전에 가득했어요. 하나님은 하나님의 백성과 함께 있고 싶어 하셨고, 정말 그렇게 하셨어요!

소곤소곤 꿀~꺽  간식

❶ 카운트다운 영상, 정리하기 노래 등을 활용해 활동이 끝났음을 알린다. 아이들에게 주변을 정리하게 하고, 화장실에 가거나 물티슈 등을 이용해 손을 씻을 시간을 준다.

❷ 감사 기도를 드리고 치즈와 크래커를 접시에 담아 요구르트와 함께 간식으로 나누어 준다. 접시 위에 치즈와 크래커를 이용해 성전을 만들어 보라고 한다. 솔로몬이 지은 하나님의 성전은 치즈와 비슷한 색깔을 가진 금으로 장식되어 반짝반짝 빛났다고 이야기해 준다. 하나님은 하나님의 백성과 함께하고 싶어 하셨고, 솔로몬에게 성전을 짓게 하셨다고 다시 한 번 말해 준다.

❸ 간식을 먹은 후 마무리 정리를 잘하도록 지도한다.

오순도순  마무리

❶ 이번 주 메시지 카드로 부모님과 함께 오늘 배운 성경 이야기를 나누어 보라고 한다.

가족과 활동해요

- 퍼즐, 블록, 카드 등을 이용해 가족이 힘을 합해 집을 지어 보세요.
- 우리 집에 들어오는 모든 사람에게 하나님의 사랑을 전하는 가정이 되게 해 달라고 기도하세요.

❷ 소그룹 활동지를 떼어 파일에 끼우고 가방에 정리하게 한다.

❸ 아이들을 위해 기도한다.

> **인도자** 사랑의 하나님, 하나님은 언제나 하나님의 백성과 함께하고 싶어 하세요. 우리와 함께하시기 위해 예수님을 보내 우리의 죄를 없애 주셔서 감사해요. 이제 우리는 예수님 덕분에 하나님께 직접 나아가 예배드리고 이야기할 수 있게 되었어요. 정말 감사해요. 날마다, 매 순간마다 우리를 사랑하시는 하나님을 만나고 싶어 하게 해 주세요. 예수님의 이름으로 기도합니다. 아멘.

❹ 아이를 데리러 온 부모에게 아이가 특별히 즐거워했거나 잘했던 활동들에 대해 이야기해 주고, 가정에서 성경 읽기와 가족 활동을 진행할 수 있도록 격려한다.

나만의 기록장

성전 그리기, 성전 안에 '하나님'이라고 쓰기

10

이스라엘이 둘로 나뉘었어요

주제   하나님은 이스라엘을 두 나라로 나누셨어요.

예수님 생각하기   솔로몬은 죄를 지어서 나라가 둘로 나누어지게 했어요. 솔로몬은 완벽한 왕이 아니었지만, 예수님은 완벽한 왕으로 오셨어요. 예수님은 하나님의 백성을 하나 되게 하시고, 하나님께로 온전히 이끌어 주셨어요.

단원 암송   잠 2:6~7

성경의 초점   지혜는 어디서 오나요?
지혜는 하나님께로부터 와요.

솔로몬은 하나님을 사랑했습니다. 그는 하나님께 지혜를 구했고, 하나님의 성전을 짓는 일에 헌신했습니다. 그러나 우리는 솔로몬의 마음이 하나님께 완전히 드려지지 않았다는 것을 엿볼 수 있습니다. 솔로몬은 이방 여인들을 아내로 맞았고, 결국 그들은 솔로몬의 마음을 하나님에게서 멀어지게 만들었습니다(왕상 11:4 참조).

솔로몬은 자신이 믿었던 것들을 하나씩 버리기 시작했습니다. 이스라엘은 하나님께 등을 돌리는 역사를 반복해 왔으며, 솔로몬도 예외는 아니었습니다.

하나님은 솔로몬에게 진노하셨습니다. 하나님은 거짓 우상들을 따르지 말라고 두 번이나 그에게 경고하셨습니다. 결국 하나님은 솔로몬에게 "네게 이러한 일이 있었고 또 네가 내 언약과 내가 네게 명령한 법도를 지키지 아니하였으니 내가 반드시 이 나라를 네게서 빼앗아 네 신하에게 주리라"(왕상 11:11)라고 말씀하셨습니다.

그러나 하나님은 유다 지파를 솔로몬의 아들 르호보암에게 남겨 두심으로 다윗에게 하신 약속을 지키실 것입니다(삼하 /:16 참조). 하나님은 솔로몬을 대항할 적을 일으키겠다고 말씀하셨습니다. 솔로몬의 신하였던 여로보암을 이스라엘 10지파의 지도자로 세우실 것입니다. 베냐민 지파의

일부는 여로보암을, 다른 일부는 르호보암을 따를 것입니다(왕상 11:26-40 참조).

솔로몬이 죽자 온 이스라엘이 르호보암을 왕으로 모시기 위해 모였습니다. 그들은 르호보암을 찾아가 솔로몬이 그들에게 지운 짐을 덜어 달라고 요청했습니다. 그러나 르호보암은 그들의 요구를 거절했습니다. 오히려 그들에게 더 힘든 일을 시키겠다고 엄포를 놓았습니다.

이스라엘은 르호보암을 배반하고 여로보암을 그들의 왕으로 삼았습니다. 오직 유다 지파만이 르호보암 편에 남았습니다. 이제 왕국은 '이스라엘'이라 불리는 북쪽의 왕국(여로보암왕)과 '유다'라 불리는 남쪽의 왕국(르호보암왕)으로 나뉘었습니다.

●● 티칭 포인트

어떤 왕도 하나님의 백성을 완벽하게 이끌지 못했습니다. 아이들에게 하나님은 하나님의 백성에게 그들과 비교할 수 없는 완전한 왕을 보낼 계획을 갖고 계셨다는 것을 이야기해 주십시오. 하나님은 르호보암을 위해 남겨 둔 단 하나의 지파에서 다윗의 가문을 통해 예수님을 이 땅에 보낼 것이라고 약속하셨습니다. 영원한 왕이신 예수님은 모든 하나님의 백성을 다시 하나님께로 인도하실 것입니다.

이스라엘이 둘로 나뉘었어요

왕상 11~12장

솔로몬왕은 하나님을 사랑했어요. 하지만 마음을 다해 사랑하지는 않았지요. 솔로몬이 한 일 중에는 하나님이 싫어하시는 것들도 있었어요. 예를 들어, 하나님은 이스라엘 백성에게 다른 나라 사람들과 결혼하지 말라고 말씀하셨어요. 하나님을 모르는 사람들과 가까이 지내면 하나님에게서 멀어질 것을 아셨기 때문이에요.

하지만 솔로몬은 이집트 여인을 아내로 삼았어요. 다른 나라에서 온 아내들도 있었지요. 솔로몬의 아내들은 그를 하나님에게서 멀어지게 만들었어요. 솔로몬이 아내들이 섬기는 가짜 신들을 섬기기 시작했기 때문이에요.

하나님은 화가 나셨어요. 하나님은 솔로몬에게 가짜 신들을 섬기지 말라고 두 번이나 경고하셨어요. 그런데도 솔로몬은 듣지 않았어요. 하나님은 솔로몬에게 말씀하셨어요. "네가 나와 한 약속을 어기고 다른 신을 따랐으므로 네 나라를 네게서 빼앗을 것이다. 네가 살아 있는 동안에는 계속 왕으로 있겠지만 네 아들이 왕이 되면 네 나라를 나눌 것이다. 오직 한 지파만 네 아들에게 주어 다스리게 할 것이다." 하나님은 이스라엘 땅의 대부분을 다스리는 왕으로 솔로몬의 신하 여로보암을 선택하셨어요.

솔로몬이 죽자 그의 아들 르호보암이 왕이 되었어요. 백성이 르호보암을 찾아와 말했어요. "왕의 아버지 솔로몬이 우리에게 힘든 일을 너무 많이 시키셨습니다. 우리 일을 좀 덜어 주신다면 우리가 기쁜 마음으로 당신을 섬기겠습니다."

르호보암은 자기 친구들에게 어떻게 해야 할지를 물어본 후에 이렇게 대답했어요. "내 아버지 솔로몬이 너희에게 시키신 일은 힘든 것도 아니었다! 나는 너희에게 훨씬 더 힘든 일을 시킬 것이다!"

그것은 사람들에게 나쁜 소식이었어요. 그들은 더 이상 르호보암을 왕으로 섬기고 싶어 하지 않았어요. 그래서 그들은 솔로몬의 신하인 여로보암을 왕으로 삼았어요. 오직 남쪽에 있는 유다 지파만 르호보암의 편에 남았지요. 결국 이스라엘은 북쪽의 이스라엘과 남쪽의 유다로 나뉘게 되었어요.

르호보암은 사람들을 모아 북쪽의 이스라엘 왕국을 공격하려고 했어요. 그러나 하나님이 선지자를 보내 그를 막으셨어요. 선지자가 하나님의 말씀을 전했어요. "그들과 싸우지 마라. 이스라엘은 네 형제다. 너희는 각자 집으로 돌아가라. 모든 일이 나의 뜻대로 이루어지고 있는 것이다." 그래서 르호보암은 집으로 돌아갔어요.

이제 여로보암이 북쪽 이스라엘의 왕이 되었어요. 그는 백성이 다시 르호보암에게 돌아갈까 봐 두려웠어요. 아직 사람들이 하나님께 예배드리기 위해 성전이 있는 곳인 남쪽의 유다 예루살렘으로 가고 있었거든요. 그래서 여로보암은 금송아지 두 마리를 만들어 백성에게 말했어요. "보아라! 이 금송아지들이 너희 조상들을 이집트에서 구해 낸 신이다! 멀리 갈 것 없이 이 송아지들을 섬기면 된다."

여로보암의 행동은 죄였어요! 하나님의 백성을 구원한 것은 금송아지들이 아니었어요. 백성을 이집트에서 이끌어 내신 분은 바로 하나님이셨어요. 여로보암은 이스라엘이 유다보다 더 살기 좋은 곳처럼 보이게 하려고 무척 애를 썼어요. 그러다가 모든 백성이 가짜 신을 섬기게 만들어 버리고 말았답니다.

● ● 예수님 생각하기

하나님의 백성을 완벽하게 바른길로 이끈 왕은 없었어요. 솔로몬은 죄를 지어서 나라가 둘로 나누어지게 했어요. 솔로몬은 완벽한 왕이 아니었지만, 예수님은 완벽한 왕으로 오셨어요. 예수님은 하나님의 백성을 하나 되게 하시고, 하나님께로 온전히 이끌어 주셨어요.

가스펠 준비

싱글벙글 ── 환영해요

"지혜의 말씀"(지도자용 팩)을 튼다. 아이들을 반갑게 맞이하며 헌금과 기도를 도와준다. 예배 중 헌금 순서가 있다면 아이들이 헌금을 잘 간수하도록 돕는다. 가방과 외투를 정리하도록 안내한다. 새로 온 아이가 있다면 음수대와 화장실의 위치를 알려 주고, 보호자와 만나는 시간과 방법 등을 소개한다. 보호자들을 위한 안내문을 붙여 아이와 만나는 시간, 기다리는 장소, 헌금 방법, 아이에 대한 특별한 주의 사항을 교사에게 미리 알려 주기 등을 공지한다.

너랑 나랑 ── 마음 열기

주제와 관련 있는 퍼즐이나 블록 등 아이들이 좋아하는 장난감을 몇 가지 비치해 두고 다양한 활동을 하며 예배를 준비하도록 돕는다. 아이들이 마음을 열고 오늘의 주제에 관심을 갖게 하며 예배에 집중할 수 있도록 도와준다. 교회 형편에 맞게 시간과 활동 방법을 조절한다.

더 오래 바라보아요 ✱

❶ 의자 2개를 서로 마주 보도록 놓고 2명의 아이들을 술래로 뽑아 각각 앉힌다.

❷ 술래들에게 서로를 바라보아야 하며 고개를 돌려선 안 된다는 게임의 규칙을 설명해 준다.

❸ 나머지 아이들에게 술래들의 몸에 손을 대거나 위협하는 것 외에는 시선을 끌 만한 행동이라면 무엇이든지 할 수 있다고 말해 준다.

예) 원숭이 흉내 내기, "어?" 하면서 손가락으로 다른 곳을 가리키기, 율동 찬양하기, 개다리춤 추기 등.

❹ 고개를 돌리지 않고 상대방을 더 오래 보고 있는 아이가 이긴다.

❺ 시간이 있다면 술래들의 시선을 결정적으로 빼앗은 아이들을 2명 뽑아 게임을 반복한다.

인도자 다른 곳을 보지 않고 한곳만 바라보는 것은 어려운 일이에요. 오늘의 성경 이야기에서 솔로몬왕의 아내들은 솔로몬이 하나님을 보지 않고 다른 것을 보게 만들었어요. 솔로몬은 자기 아내들이 섬기던 가짜 신들을 섬기기 시작했지요. 그러자 끔찍한 일이 벌어졌어요. 과연 어떤 일이 생겼는지 오늘의 성경 이야기를 들으면서 알아보기로 해요.

내 마음대로 나누어 보아요 ✱

❶ 쪽지에 노란색 사인펜으로 별을, 빨간색 사인펜으로 하트를 그린 후 보이지 않게 2회 접어 바구니에 담아 둔다. 아이들 수만큼 준비한다.

❷ 아이들에게 쪽지를 하나씩 뽑으라고 한다.

❸ 쪽지를 펼쳐 본 후 인도자의 왼편에는 별 쪽지를 가진 친구들끼리, 오른편에는 하트 쪽지를 가진 친구들끼리 한자리에 모여 앉으라고 한다.

tip 시간 여유가 있으면 활동을 한 번 더 반복한다. 이때 쪽지의 그림을 다르게 준비해 진행해도 좋다.

인도자 이 게임을 하다 보니 오늘의 성경 이야기가 생각나네요. 이스라엘 나라가 둘로 나뉘었거든요. 왕이 2명이 되었어요. 이스라엘 백성은 어떤 왕을 따를지 결정해야 했어요. 정말 어렵고 슬픈 결정이었을 것 같아요. 이제 오늘의 성경 이야기를 귀 기울여 들어 보세요.

예배 대형으로 모이기

- 카운트다운 영상, 모이기 노래 등을 활용해 예배 대형으로 바꾸고 마음을 준비하게 한다.
- 공간을 이동해야 한다면 반씩 나누어 가도록 한다.

가스펠 설교

하나 — 들어가기

예배실 바닥에 컬러 박스 테이프를 붙여 공간을 둘로 나누어 둔다. 아이들에게 어느 쪽에 앉을지 정하라고 말한다. 아이들이 자리에 앉을 때까지 기다린다.

오늘의 성경 이야기 앞부분에서 이스라엘은 분명히 하나의 나라였어요. 그런데 이야기가 끝날 무렵이면 이스라엘이 두 나라로 나뉜답니다. 도대체 어떻게 된 일일까요?

둘 — 성경 이야기

열왕기상 11~12장을 편다. 설교 영상(지도자용 팩)을 보여 주거나 이야기 성경을 들려준다.

성경은 하나님이 우리에게 주신 하나님의 책이에요. 성경은 진짜 이야기이고, 그 안에 하나님의 말씀이 들어 있어요. 오늘 우리가 배울 성경 이야기는 '열왕기상'에 나와요.

셋 — 메시지와 정리

솔로몬이 하나님께 순종하지 않자 **하나님은 이스라엘을 두 나라로 나누셨어요.** 솔로몬의 아들 르호보암은 남쪽 유다의 왕이 되었어요. 솔로몬의 신하였던 여로보암이 북쪽 이스라엘의 왕이 되었지요. 여로보암은 하나님의 백성이 가짜 신이 마치 진짜 하나님인 것처럼 섬기게 만드는 죄를 지었어요. 하나님은 우상 숭배를 가장 싫어하세요.

`tip` 아이들이 르호보암과 여로보암의 이름이 헷갈리지 않게 기억하기 쉽도록 설명해 주면 좋다.

예) "북 이스라엘은 여로보암이 되었어요. 기억하기 쉽게 '북여'라고 말해 보세요. 그렇다면 남 유다의 르호보암은 '남르'겠지요?" 등.

연대표(지도자용 팩)를 가리키면서 복습 질문을 한다.

1. 누가 솔로몬을 하나님에게서 멀어지게 만들었나요? 다른 나라에서 온 솔로몬의 아내들

2. 하나님은 솔로몬에게 무엇이라고 말씀하셨나요? 이스라엘이 두 나라로 나뉠 것이라고 말씀하셨다

3. 솔로몬의 아들 르호보암은 백성의 짐을 덜어 줄 것이라고 말했나요, 아니면 힘든 일을 더 많이 시키겠다고 말했나요? 힘든 일을 더 많이 시키겠다고 말했다

4. 많은 이스라엘 백성이 누구를 왕으로 삼았나요? 솔로몬의 신하 여로보암

5. 여로보암은 무엇을 만들어 백성이 섬기게 했나요? 금송아지 2마리

넷 — 성경의 초점

"지혜는 어디서 오나요?", **"지혜는 하나님께로부터 와요."** 하나님이 솔로몬을 지혜롭게 만들어 주셨던 것을 기억하나요? 하지만 솔로몬의 행동이 언제나 지혜로웠던 것은 아니에요. 솔로몬은 하나님께 죄를 지었고, 그로 인해 이스라엘은 결국 두 나라로 나뉘게 되었어요.

다섯 — 복음 초청

성경과 36쪽 복음 초청 가이드를 이용해서 아이들에게 그리스도인이 되는 법을 설명해 준다. 따로 상담해 줄 사람을 정해 주고 궁금한 점이 있으면 물어보도록 격려한다.

이 시간 예수님을 믿고 마음에 모시고 싶은 친구는 함께 기도해요.

여섯 — 기도

하나님, 솔로몬은 세상에서 가장 지혜로운 왕이었어요. 하지만 솔로몬왕은 하나님만을 끝까지 바라보지 못했어요. 죄를 지은 솔로몬왕 때문에 하나님의 백성은 둘로 나뉘었어요. 이스라엘 백성이 둘로 나누어진 것은 너무 슬픈 일이에요. 하지만 하나님은 완벽한 왕이신 예수님을 보내 하나님의 백성을 구원해 주셨어요. 우리를 하나로 만들어 주신 하나님, 감사해요. 예수님처럼 언제나 하나님만 바라보며 살아갈 수 있도록 도와주세요. 예수님의 이름으로 기도합니다. 아멘.

일곱 — 암송송

성경에서 잠언 2장 6~7절을 펴고 큰 소리로 여러 번 따라 읽게 한다.

하나님의 말씀은 지혜와 지식과 명철로 가득해요. '명철'은 '깨달음'이라고 말할 수 있어요. 하나님의 말씀을 읽으면 우리는 지혜로워지고, 지식이 많아지고, 많은 것을 깨달을 수 있게 된답니다. 하나님의 말씀을 날마다 읽어서 지혜로운 우리가 되어요.

암송송(161쪽)에 맞추어 손유희를 하며 말씀을 익힌다.

"대저 여호와는 지혜를 주시며 지식과 명철을 그 입에서 내심이며 그는 정직한 자를 위하여 완전한 지혜를 예비하시며 행실이 온전한 자에게 방패가 되시나니"(잠 2:6~7).

tip 전체 구절 암송이 어려운 경우에는 표시 부분을 발췌해 외워도 좋다.

가스펠 소그룹

말씀 놀이

이스라엘이 둘로 나뉘었어요

준비물 ▶ 유치부 교재 22쪽, 35쪽 '솔로몬의 갈라진 마음' 그림, 45쪽 '나라 팻말' 스티커, 색연필, 풀

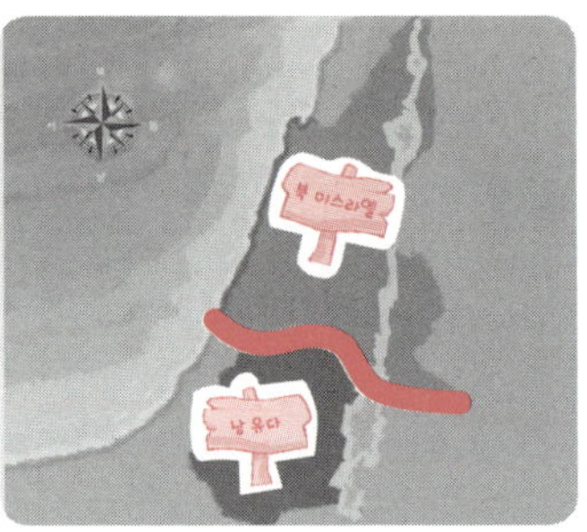

이야기 나누기
- 이스라엘은 왜 두 나라로 나뉘었나요?
- 나누어진 하나님의 백성은 어떻게 하나가 될 수 있을까요?

❶ 하나님을 향한 솔로몬의 마음이 나뉘자 이스라엘이 둘로 나뉘었다고 설명해 준다.

❷ 유치부 교재 35쪽 '솔로몬의 갈라진 마음' 그림을 떼어 접는 선대로 접고 뒷면 '풀칠' 표시에 풀을 칠하게 한다.

❸ 솔로몬의 마음 '풀칠' 표시에 ❷를 붙이게 한다.

❹ '솔로몬의 갈라진 마음'을 열어 이스라엘이 어떻게 나뉘었는지 확인해 보는 시간을 갖는다.

❺ 색연필로 선을 그어 나누어진 이스라엘을 표시하고, 유치부 교재 45쪽 '나라 팻말' 스티커를 떼어 각 땅에 붙여 주도록 한다.

> **인도자** **하나님은 이스라엘을 두 나라로 나누셨어요.** 지혜로웠던 솔로몬왕은 하나님만을 끝까지 바라보지 못하고 다른 나라에서 온 자기 아내들이 섬기던 가짜 신들을 섬기는 죄를 지었어요. 그래서 이스라엘이 북 이스라엘과 남 유다의 두 나라로 나뉘게 되었어요. 지혜로우신 하나님은 하나님의 백성을 죄에서 구원하고 다시 하나 되게 하시기 위해 예수님을 보내 주셨어요. 십자가에서 돌아가시고 부활하신 예수님을 믿고 하나님만 의지하는 사람은 누구나 하나님의 가족으로서 하나 될 수 있어요.

색종이 조각을 맞추어요 ＊

준비물 ▶ 여러 색깔의 색종이, 가위, 셀로판테이프

❶ 여러 색깔의 색종이를 반으로 잘라 예배실 곳곳에 숨겨 둔다.

❷ 아이들에게 숨겨진 색종이 조각들을 찾아와서 짝을 맞추어 보라고 한다.

❸ 셀로판테이프를 이용해 원래 하나였던 모습이 되도록 붙이게 한다.

> **인도자** 이 색종이 조각들은 반으로 나뉘었지만 여러분이 다시 하나로 붙여 주었어요. 솔로

몬왕이 죄를 짓자, **하나님은 이스라엘을 두 나라로 나누셨어요.** 하지만 하나님은 하나님의 백성을 다시 하나 되게 할 계획을 세우셨어요. 언젠가 하나님은 하나님의 아들, 예수님을 이 땅에 보내 이스라엘뿐만 아니라 온 세상의 왕이 되게 하실 거예요. 예수님이야말로 하나님의 백성을 하나 되게 하실 수 있는 완벽한 왕이세요.

어느 쪽이 더 쉬울까요? *

❶ 미션을 실천하는 데 필요한 도구들을 책상 위에 펼쳐 놓고 아이들에게 하나씩 설명해 준다.

❷ 아이들에게 차례로 미션을 하나씩 주고 실천하게 한다.

  예) • 손수건을 올린 채 예배실을 가로지르기(도구 : 플라스틱 숟가락 / 플라스틱 접시)
  • 그림 그리기(도구 : 뾰족한 연필 / 뭉툭한 연필)
  • 책 들고 가기(도구 : 핸드백 / 책가방)

❸ 미션을 다 실천한 뒤 어떤 도구가 일을 더 쉽게 할 수 있게 도와주고, 어떤 도구가 일을 더 어렵게 만드는지 이야기를 나누어 본다.

인도자 이스라엘의 백성은 르호보암에게 가서 솔로몬왕이 자신들에게 너무 힘든 일을 많이 시켰다고 말했어요. 백성은 일을 줄여 주면 기꺼이 르호보암을 섬기겠다고 했지요. 하지만 르호보암은 백성이 얼마나 힘든지 알아주지 않았고, 그들이 원하는 대로 해 주지 않았어요. 그래서 이스라엘 백성 중 많은 사람이 솔로몬왕의 신하 중 한 명이었던 여로보암을 왕으로 세우고 북쪽에 '이스라엘'이라는 나라를 세웠어요. 르호보암은 이제 남쪽의 유다를 다스리는 왕이 되었어요. **하나님은 이스라엘을 두 나라로 나누셨어요.**

나라들을 위해 기도해요 *

❶ 아이들이 볼 수 있도록 지구본을 놓고 우리나라가 어디 있는지 찾아 보라고 한다. 어려워하면 인도자가 찾아서 보여 준다.

❷ 다 같이 이스라엘이 어디에 있는지 찾아본다.

❸ 아이들에게 차례로 지구본을 돌리고 손가락으로 콕 찍어 지구본을 멈추게 하라고 한다. 손가락이 가리키고 있는 나라의 이름을 확인해 준다.

❹ ❸의 나라 사람들이 예수님이 완벽하고 영원한 우리의 왕이시라는 사실을 알게 되고, 하나님이 다스리시는 나라가 되게 해 달라고 다 같이 기도한다.

인도자 솔로몬이 죄를 짓자 **하나님은 이스라엘을 두 나라로 나누셨어요.** 오늘날에도 많은 나라가 나뉘어 있어요. 한 나라의 국민들끼리 서로 싸우기도 하고, 다른 나라와 싸우기도 하지요. 모든 나라 사람들이 이 땅에 오셔서 왕이 되신 예수님을 믿고 의지하면 모든 것이 바로잡힐 거예요. 예수님을 믿는 모든 사람이 하나님의 백성이 되어 영원히 하나 될 거예요.

나침반 놀이를 해요 ✳

❶ 아이들에게 지도 왼쪽 위에 적힌 동, 서, 남, 북은 각각 동쪽, 서쪽, 남쪽, 북쪽의 방향을 가리킨다고 이야기해 준다. 나침반을 이용해 예배실에서 동, 서, 남, 북이 각각 어느 쪽인지 알려 준다.

❷ 아이들을 4팀으로 나누고 각 팀마다 손을 잡고 둥글게 세운다. 아이들에게 찬양이 들리면 예배실을 동, 서, 남, 북으로 돌아다니다가 찬양이 멈추면 제자리에 서라고 한다.

❸ 인도자가 아이들이 멈춘 곳으로 가서 나침반을 이용해 각 팀의 방향을 알려 준다.

❹ 활동을 여러 번 반복한다.

❺ 아이들을 자리에 앉히고, 인도자가 나침반을 이용해 175쪽 '이스라엘 지도'(또는 지도자용 팩)를 북쪽 이스라엘 왕국과 남쪽 유다 왕국의 방향에 맞게 놓아 본다.

❻ 대한민국 지도를 북한과 남한의 방향에 맞게 놓아 본다.

❼ 우리나라가 예수님 안에서 하나 될 수 있게 해 달라고 기도하는 시간을 갖는다.

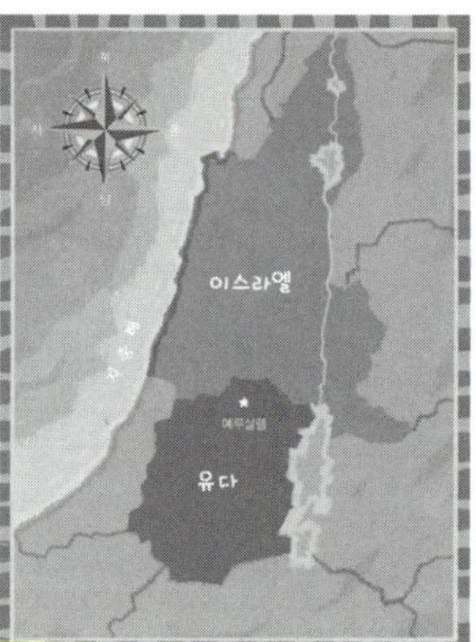

인도자 솔로몬이 죄를 짓자 **하나님은 이스라엘을 두 나라로 나누셨어요.** 솔로몬은 완벽한 왕이 아니었어요. 하나님의 백성에게는 완벽한 왕이 필요했어요. 하나님은 하나님의 아들, 예수님을 보내 왕이 되게 할 계획을 갖고 계셨어요. 예수님은 곳곳에 흩어져 있는 하나님의 백성을 모두 모아 하나 되게 하는 완벽한 왕이 되실 거예요.

간식

준비물 ▶ 미니 케이크, 빵칼, 우유, 접시, 포크

❶ 카운트다운 영상, 정리하기 노래 등을 활용해 활동이 끝났음을 알린다. 아이들에게 주변을 정리하게 하고, 화장실에 가거나 물티슈 등을 이용해 손을 씻을 시간을 준다.

❷ 감사 기도를 드리고 우유를 간식으로 나누어 준다. 빵칼을 이용해 미니 케이크를 2개의 조각으로 나눈다. 아이들과 함께 2개의 조각을 소리 내어 세어 본다. 솔로몬이 죄를 지어 하나님이 나라를 둘로 나누셨다고 말해 준다. 미니 케이크를 더 작은 조각으로 잘라 아이들에게 나누어 준다.

❸ 간식을 먹은 후 마무리 정리를 잘하도록 지도한다.

마무리

준비물 ▶ 유치부 교재 41쪽 메시지 카드, 소그룹 활동지, 파일

❶ 이번 주 메시지 카드로 부모님과 함께 오늘 배운 성경 이야기를 나누어 보라고 한다.

가족과 활동해요

• 편을 나누어 게임을 해 보세요. 비록 서로 반대편이지만 우리는 여전히 한 가족이라고 이야기해 주세요.

• 이웃 가족을 초대해 가족 대항 게임을 해 보세요.

❷ 소그룹 활동지를 떼어 파일에 끼우고 가방에 정리하게 한다.

❸ 아이들을 위해 기도한다.

> **인도자** 하나님, 우리는 죄인이었어요. 하나님을 온 마음을 다해 사랑하지도 않았어요. 하지만 하나님은 그런 우리를 사랑하셔서 예수님을 보내 우리의 죄를 없애 주셨어요. 이제 우리의 마음은 하나님만을 사랑하고 하나님께 순종하는 새 마음이 되었어요. 정말 감사해요. 예수님은 언제나 우리를 다스려 주시는 완벽한 왕이세요! 우리의 왕이신 예수님을 찬양하며, 예수님의 이름으로 기도합니다. 아멘.

❹ 아이를 데리러 온 부모에게 아이가 특별히 즐거워했거나 잘했던 활동들에 대해 이야기해 주고, 가정에서 성경 읽기와 가족 활동을 진행할 수 있도록 격려한다.

나만의 기록장

예수님으로 인해 남한과 북한이 하나 된 대한민국 그리기

3 _{단원} 주권자이신 하나님

솔로몬은 인생의 의미를 발견하기 위해 애썼습니다. 욥은 자신이 겪는 고통의 의미를 찾으려고 몸부림쳤습니다. 하나님은 그 의미를 깨닫게 하셨고, 주권자이신 하나님을 드러내셨습니다. 예수님은 우리의 삶이 혼란스럽거나 힘들 때에도 하나님을 찬양할 이유와 능력을 주십니다.

솔로몬이
산다는 것에 대해
생각했어요

하나님을
찬양해요

욥이
고난을 받았어요

하늘에서 책이 떨어진다면

카운트다운 영상(지도자용 팩)은 예배 대형으로 모이거나 대형을 바꾸며 준비할 시간을 알리는 데 활용한다. 익숙해질 때까지 중간에 남은 시간을 알리는 것도 좋다.
예) "1분 전입니다", "30초 전입니다. 마음을 가다듬고 기도하며 하나님께 나아갑시다" 등.

여호와는 선하시니 그의 인자하심이 영원하고 그의 성실하심이 대대에 이르리로다(시 100:5).

시편 100:5

작곡 : 김효정

11 솔로몬이 산다는 것에 대해 생각했어요

[전 1:1~11]

주제	하나님은 우리에게 살아가는 목적을 주세요.
예수님 생각하기	하나님은 우리에게 살아가는 목적을 주세요. 하나님은 하나님의 영광을 위해 이 세상 모든 것을 만드셨어요. 예수님은 우리에게 살아갈 이유를 주세요. 예수님은 우리가 하나님을 위해 살게 하려고 이 땅에 오셨어요.
단원 암송	시 100:5
성경의 초점	왜 하나님을 믿고 의지할 수 있나요? 하나님은 선한 분이시기 때문이에요.

이렇게 사는 것이 다 무슨 소용인가? 모든 것이 허무하구나! 난 왜 여기에 있지? 산다는 것은 무슨 의미가 있을까? 난 무슨 목적으로 살아가는 것일까?

누구나 한 번쯤은 이런 질문들로 고민하게 됩니다. 가장 지혜로운 왕으로 알려진 솔로몬도 마찬가지였습니다. 인생에 대한 이러한 질문들을 다룬 책이 성경에 있는데, 바로 '전도서'입니다.

하나님은 솔로몬을 지혜로운 왕으로 만드셨습니다. 그는 40년간 이스라엘을 다스렸고, 지혜의 말을 담은 잠언을 쓰기도 했습니다. 그의 지혜는 널리 알려져 주변 왕들의 존경을 얻었습니다. 이 세상의 누구보다 지혜로운 왕으로 알려진 솔로몬도 한 가지 문제를 두고 깊이 고민했습니다. 바로 "인생의 의미는 무엇인가?"라는 문제였습니다.

전도서의 첫 장은 인생의 무의미함과 덧없음에 관해 서술하고 있습니다. 저자는 "모든 것이 헛되다"(전 1:2)라고 말하며 인생을 관찰합니다. 한 세대가 가면 한 세대가 오고, 해는 지고 뜨고 또 집니다. 바람은 이리 불고 저리 불어 제자리로 돌아가고, 강물은 멈추지 않고 흐릅니다(전 1:4~7 참조).

하지만 왜 그럴까요? 하나님이 없다면 도대체 인간에게 무슨 목적이 있을까요? 아이들이 깊이 있는 철학적 고민에 시간을 쏟지는 않겠지만, 전도서를 공부하는 동안 성인기까지 이어질 생각의 기반을 마련하도록 도와주시기 바랍니다. 아이들이 창조주 하나님을 바라보게 해 주십시오. 하나님은 이 세상 모든 것을 하나님의 영광을 위해 창조하셨고, 그의 아들을 통해 세상 만물에 목적을 부여하십니다.

예수님이 말씀하셨습니다. "도둑이 오는 것은 도둑질하고 죽이고 멸망시키려는 것뿐이요 내가 온 것은 양으로 생명을 얻게 하고 더 풍성히 얻게 하려는 것이라"(요 10:10).

● ● 티칭 포인트

전도서를 공부하는 이 시간이 아이들이 인생에 대해 생각하는 기회가 되도록 도와주십시오. 궁극적인 삶의 목적과 소망은 우리를 위해 죽으시고 부활하신 예수님께 있다는 것을 가르쳐 주십시오. 복음이 우리 삶에 들어올 때 우리는 가치 있는 인생을 살게 됩니다. 복음은 인생에 관한 근본적인 질문에 대한 해답입니다. 우리는 예수님 안에서 인생의 목적을 발견하고, 그분과 힘께 하는 영원한 삶을 바라게 됩니다.

솔로몬이 산다는 것에 대해 생각했어요

전 1:1~11

솔로몬은 이스라엘의 왕이었어요. 솔로몬은 지혜롭게 해 달라고 하나님께 기도했고, 하나님은 그의 소원을 들어주셨어요. 하나님은 솔로몬이 옳은 결정을 내릴 수 있도록 지혜를 주셨어요. 솔로몬은 좋은 지도자가 되어 다른 지도자들에게도 옳은 결정을 내리는 방법을 가르쳐 주었어요.

솔로몬은 산다는 것에 대해 생각했어요. 이 세상이 어떻게 움직이는지에 대해 생각하며 왜 그런지 궁금해했어요. 가끔은 어떤 일이 왜 일어나는지 이해가 안 될 때도 있었어요. 솔로몬은 하나님이 계시지 않는 삶에 대해 생각해 보았어요. 그는 하나님이 없이는 산다는 것을 설명할 수 없다는 사실을 깨달았어요.

솔로몬은 자신이 산다는 것에 대해 생각한 것들을 글로 썼어요. 이 글들은 성경 중에서 '전도서'에 남아 있답니다. 솔로몬이 쓴 글을 함께 읽어 보기로 해요.

"허무하다. 허무하다. 정말 허무하다. 모든 것이 허무하다." 하나님이 없이는 모든 것이 허무하고 아무것도 의미가 없어요.

"사람들은 이 땅에서 정말 열심히 일한다. 하지만 왜일까? 그렇게 열심히 일해서 무엇을 얻을까?" 하나님을 떠나서 그토록 애쓰고 노력해서 얻는 것이 무슨 의미가 있을까요?

"사람들은 태어나고, 그다음엔 죽는다." 모든 것은 잠깐 있다가 사라져요. 어떤 것도 영원하지 않아요.

"아침이면 해가 뜨고, 저녁이면 해가 진다. 다음 날에도 해가 뜨고, 또 진다. 계속해서 뜨고 진다. 바람은 이리 불다가 저리 분다. 돌고 돌며 계속 분다. 강물이 바다로 흘러들어 가지만, 바다는 결코 넘치지 않는다. 강물은 끊임없이 흐르고 또 흐른다." 이 세상은 늘 돌고 돌아가지요.

"하나님이 없으면 모든 것이 나를 힘들게 할 뿐이다. 눈으로 아무리 보아도 충분하지 않다. 주위를 둘러봐도 행복하지 않다. 귀로 아무리 들어도 충분하지 않다. 이것저것 들어 봐도 기쁘지 않다." 오직 하나님만 우리를 진짜 행복하게 하실 수 있어요.

"지금 일어나는 모든 일은 예전에도 일어났던 일이다. 하나님이 없으면, 이 땅에 새로운 것이 없다. 해 아래에 새로운 것이 없다. '저것 봐! 처음 보는 거야!'라고 말할 사람이 없다. 아무것도 새롭지 않기 때문이다. 모든 것이 우리가 태어나기 전부터 이미 거기 있었다."

"하나님이 없으면, 아무도 예전에 살았던 사람을 기억해 주지 않는다. 먼 훗날에도 아무도 기억되지 못하기는 마찬가지일 것이다. 모두가 다 잊힌다."

솔로몬은 이 모든 것을 생각한 후에 결론을 내렸어요. "하나님이 모든 것을 아신다. 비밀스러운 일들까지도 다 아신다. 우리는 모두 하나님을 높이고 하나님의 말씀에 순종해야 한다." 이것이 바로 우리가 사는 이유랍니다.

하나님은 우리에게 살아가는 목적을 주세요. 하나님은 하나님의 영광을 위해 이 세상 모든 것을 만드셨어요. 예수님은 우리에게 살아갈 이유를 주세요. 예수님은 우리가 하나님을 위해 살게 하려고 이 땅에 오셨어요(요 10:10).

가스펠 준비

싱글벙글 환영해요

"감사함으로"(지도자용 팩)를 튼다. 아이들을 반갑게 맞이하며 헌금과 기도를 도와준다. 예배 중 헌금 순서가 있다면 아이들이 헌금을 잘 간수하도록 돕는다. 가방과 외투를 정리하도록 안내한다. 새로 온 아이가 있다면 음수대와 화장실의 위치를 알려 주고, 보호자와 만나는 시간과 방법 등을 소개한다. 보호자들을 위한 안내문을 붙여 아이와 만나는 시간, 기다리는 장소, 헌금 방법, 아이에 대한 특별한 주의 사항을 교사에게 미리 알려 주기 등을 공지한다.

너랑 나랑 마음 열기

주제와 관련 있는 퍼즐이나 블록 등 아이들이 좋아하는 장난감을 몇 가지 비치해 두고 다양한 활동을 하며 예배를 준비하도록 돕는다. 아이들이 마음을 열고 오늘의 주제에 관심을 갖게 하며 예배에 집중할 수 있도록 도와준다. 교회 형편에 맞게 시간과 활동 방법을 조절한다.

궁금해요! *

1. 아이들에게 차례대로 인도자에게 질문을 던지라고 한다. 질문의 주제는 따로 정해 주지 않고, 자유롭게 질문할 수 있다고 말해 준다.

   예) "오늘 아침에 무엇을 드셨어요?", "예배 시간에 앉아 있기 힘들 땐 어떻게 해야 하나요?", "친구와 다투었어요. 어떻게 다시 친하게 지낼 수 있을까요?", "하품이 나올 땐 어떻게 해야 하나요?" 등.

2. 인도자가 질문에 답할 수 있으면 인도지에게 1점을, 답할 수 없으면 아이들에게 1점을 준다.

3. 총점을 계산해 승자를 발표한다.

   인도자 오늘 우리는 궁금한 것들을 질문하고 답해 보았어요. 오늘의 성경 이야기에서 궁금한 것이 많은 솔로몬왕은 사람이 살아가는 것에 대해 생각했어요. 솔로몬은 사람들이 살아가는 세상이 어떻게 움직이는지, 어떤 일들이 왜 일어나는지 궁금했어요. 솔로몬은 모든 질문의 답을 찾아내지는 못했지만, 아주 중요한 사실을 한 가지 깨달았어요. 무엇인지 궁금하지요? 이제 함께 알아보기로 해요.

어디에 쓰는 물건일까요? *

❶ 다양한 물건을 찍은 사진들을 바구니에 뒤집어서 놓아 둔다.

❷ 술래를 한 명 뽑아 앞으로 나오게 해 눈가리개를 채운 후 바구니에서 사진을 한 장 꺼내라고 한다.

❸ 나머지 아이들에게 사진을 보여 주면서 "어디에 쓰는 물건일까요?"라고 묻는다. 아이들이 물건의 용도를 말하면 술래가 맞혀야 한다는 게임의 규칙을 말해 준다.

❹ 아이들 중에 2~3명을 뽑아 물건의 용도를 말하게 하고, 결정적인 힌트를 주어 술래가 정답을 맞힐 수 있도록 도운 아이에게 다음 술래를 맡긴다.

❺ 시간 여유가 있다면 모든 아이가 술래를 할 수 있도록 활동을 반복한다.

> **인도자** 이 물건들은 저마다 무언가를 위해 만들어졌어요. 어떤 목적으로 '선생님'이 있는 것일까요? 아이들을 가르치기 위해서예요. 우리는요? 우리에게도 목적이 있을까요? 우리는 무엇을 위해 이 세상에서 살아가는 것일까요? 오늘의 성경 이야기에서 우리가 무엇을 위해 살아가야 하는지를 알게 될 거예요. 잘 들어 보세요!

어떻게 움직이는 것일까요? *

❶ 아이들에게 고장 난 전자 제품을 보여 주고 무슨 물건인지, 어디에 사용되는 물건인지 설명한 뒤 아이들이 보는 앞에서 공구를 이용해 차례로 분해한다.

❷ 전자 제품이 어떻게 작동하는지 알려 준다.

> **tip** 아이들과 활동하기 전에 미리 분해해 보고, 작동 원리를 알아 두어 쉽게 설명할 수 있도록 준비한다.

> **인도자** 솔로몬은 사람들이 살아가는 모습을 보며 여러 가지 생각을 하고 고민을 했대요. 그리고 아주 중요한 것을 발견했다고 해요. 솔로몬이 어떤 생각을 하고 어떤 고민을 했는지, 또 무엇을 발견했는지 오늘의 성경 이야기에서 들어 보세요!

예배 대형으로 모이기

- 카운트다운 영상, 모이기 노래 등을 활용해 예배 대형으로 바꾸고 마음을 준비하게 한다.
- 공간을 이동해야 한다면 곰곰이 생각하는 표정을 지으며 가도록 한다.

가스펠
설교

하나 — 들어가기

아이들에게 잠시 눈을 감고 생각해 보자고 말한다. 잠시 후 눈을 뜨게 하고, 자원하는 아이에게 무슨 생각을 했는지 이야기해 보라고 한다.

오늘의 성경 이야기에서 솔로몬왕은 사람이 살아간다는 것에 대해 생각했어요. 솔로몬은 궁금한 것이 많았어요. 그래서 생각도 아주 많이 했지요. 이제 솔로몬이 어떤 생각을 했는지 한번 들어 보아요.

둘 — 성경 이야기

전도서 1장을 편다. 설교 영상(지도자용 팩)을 보여 주거나 이야기 성경을 들려준다.

성경은 세상에서 가장 중요한 책이에요. 성경에는 하나님의 말씀이 들어 있고, 하나님의 말씀은 모두 진짜예요. 오늘 우리가 배울 부분은 '전도서'예요.

셋 — 메시지와 정리

솔로몬은 사람이 세상을 살아간다는 것에 대해 많은 생각을 했어요. 그러고는 마침내 하나님 없이는 아무 의미를 찾을 수 없다는 것을 깨달았어요. **하나님은 우리에게 살아가는 목적을 주세요.** 하나님은 하나님의 영광을 위해 이 세상 모든 것을 만드셨어요. 예수님은 우리에게 살아갈 이유를 주세요. 예수님은 우리가 하나님을 위해 살게 하려고 이 땅에 오셨어요.

연대표(지도자용 팩)를 가리키면서 복습 질문을 한다.

1. 솔로몬이 산다는 것에 대해 생각한 내용들은 성경 어디에 쓰여 있나요? 전도서
2. 누가 있어야 우리가 산다는 것을 설명할 수 있나요? 하나님
3. 우리의 인생을 의미 있게 만드시는 분이 누구신가요? 하나님
4. 우리를 진짜로 행복하게 만들어 주실 수 있는 유일한 분이 누구신가요? 하나님
5. 모든 것을 아시는 분이 누구신가요? 하나님

넷 — 성경의 초점

3단원 '성경의 초점'의 질문과 답을 잘 들어 보세요. **"왜 하나님을 믿고 의지할 수 있나요?"**, **"하나님은 선한 분이시기 때문이에요."** 정말 그렇지요? 하나님은 정말 좋은 분이세요. 가끔은 어떤 일이 어떻게, 왜 일어나는지 이해가 안 될 때가 있어요. 하지만 그럴 때에도 우리는 '좋으신 하나님이 하시는 모든 일에는 다 그럴만한 이유가 있을 거야' 하며 믿을 수 있답니다.

다섯 — 복음 초청

성경과 36쪽 복음 초청 가이드를 이용해서 아이들에게 그리스도인이 되는 법을 설명해 준다. 따로 상담해 줄 사람을 정해 주고 궁금한 점이 있으면 물어보도록 격려한다.

이 시간 예수님을 믿고 마음에 모시고 싶은 친구는 함께 기도해요.

여섯 — 기도

좋으신 하나님, 감사해요. 우리를 위해 모든 것을 만드시고, 특별히 우리를 만들어 주셔서 감사해요. 하나님이 우리를 만드신 목적대로 하나님을 사랑하고, 하나님께 영광 돌리고, 이웃을 사랑하며 살아갈 수 있도록 도와주세요. 예수님의 이름으로 기도합니다. 아멘.

일곱 — 암송송

성경에서 시편 100편 5절을 펴고 큰 소리로 여러 번 따라 읽게 한다.

하나님은 선한 분이세요. 하나님은 인자한 분이세요. 또한 하나님은 성실한 분이세요. 영원히 선하시고, 인자하시고, 성실하시지요. 때로 이해되지 않는 일이 일어날 때, 산다는 것에 대해 궁금할 때, 내가 왜 사는지 모르겠을 때 영원히 선하시고, 인자하시고, 성실하신 하나님을 기억하세요.

암송송(162쪽)에 맞추어 손유희를 하며 말씀을 익힌다.

"여호와는 선하시니 그의 인자하심이 영원하고 그의 성실하심이 대대에 이르리로다"(시 100:5).

가스펠 소그룹

말씀 놀이

예수님이 필요해요!

준비물 ▶ 유치부 교재 24쪽, 45쪽 '십자가' 스티커

이야기 나누기
- 왜 우리에게 예수님이 필요한가요?
- 어떻게 하면 주위에 있는 모든 사람에게 사랑의 예수님을 잘 전할 수 있을까요?

❶ 사람은 하나님과 함께할 때 살아가는 목적을 발견할 수 있고, 그래서 우리가 하나님을 만날 수 있도록 도와주시는 예수님이 꼭 필요하다고 설명해 준다.

❷ 사람의 성장 과정을 살펴보고, 유치부 교재 45쪽 '십자가' 스티커를 각각의 그림에 붙여 주라고 한다.

❸ 큰 소리로 "예수님이 필요해요!"라고 외쳐 본다.

> **인도자** 오늘의 성경 이야기에서 솔로몬은 사는 것에 대해 아주 진지하게 고민했어요. 그리고 하나님이 우리가 살아가는 이유와 뜻을 알려 주실 수 있는 유일한 분이시라는 사실을 깨달았지요. **하나님은 우리에게 살아가는 목적을 주세요.** 우리가 우리에게 살아가는 목적을 주신 하나님의 뜻을 알고, 하나님의 뜻대로 살아가며 사랑할 수 있는 이유는 예수님이 우리를 위해 십자가를 지셨기 때문이랍니다. 우리에게는 예수님이 필요해요!

퍼즐 조각이 사라졌어요 ＊

준비물 ▶ 여러 종류의 퍼즐

❶ 각 퍼즐마다 한 조각의 퍼즐을 빼서 숨겨 둔다.

> tip 어떤 퍼즐의 마지막 조각인지 표시를 해 두어 아이가 찾을 때 바로 줄 수 있도록 한다.

❷ 아이들에게 여러 종류의 퍼즐을 하나씩 나누어 주고 퍼즐을 맞춰 보라고 한다.

❸ 아이들이 퍼즐 한 조각이 모자란다고 말하면 숨겨 두었던 마지막 조각을 주어 완성하게 한다.

> **인도자** 조각 하나가 없으면 퍼즐을 완성할 수 있나요? 완성할 수 없어요. 모든 조각이 다 있어야 퍼즐은 의미가 있어요. 하나님 없이 사는 사람들의 삶은 마치 조각이 사라진 퍼즐과 같아요. **하나님은 우리에게 살아가는 목적을 주세요.** 하나님은 하나님의 영

광을 위해 이 세상 모든 것을 만드셨어요. 예수님은 우리가 하나님을 만날 수 있도록 도와주시고, 우리가 왜 살아야 하는지에 대한 하나님의 뜻을 알 수 있게 해 주세요. 그래서 우리에게는 언제나 예수님이 필요하답니다. 예수님을 믿고 의지하면 우리가 날마다 하나님을 위해 살아가야 한다는 것을 깨닫게 돼요.

책을 읽어요 ✱

준비물 ▶ 다양한 주제의 그림책(자연, 인체, 감각, 역사 등), 성경책

❶ 아이들이 다양한 주제의 그림책과 성경책을 자유롭게 읽을 수 있도록 지도한다.

   `tip` 인도자가 같이 책을 보며 다양한 반응을 보여 주면 아이들이 책을 더 적극적으로 읽을 수 있다.

   예) "와, 이 책은 그림이 정말 예뻐요!", "우리 친구는 책 읽는 자세가 참 바르네요", "이 책이 무슨 내용인지 설명해 줄 수 있나요?", "어떤 주제의 책을 가장 좋아하나요?" 등.

   인도자 책에는 사람들에게 도움이 되는 내용이 담겨 있어요. 그런데 이 책들 중에서 단 하나의 책만이 우리가 왜 살아야 하고, 어떻게 살아아 하는시를 알려 주고 있답니다. 바로 성경책이에요. 우리가 하나님과 함께 살도록 하나님이 우리에게 예수님을 보내신 이야기를 들려주는 책은 오직 성경뿐이에요! 하나님은 우리에게 어떻게 살아야 할지를 알려 주세요. **하나님은 우리에게 살아가는 목적을 주세요.** 우리가 죄에서 돌이켜 예수님 안에서 기쁨을 찾는 것이야말로 하나님이 우리를 창조하신 목적대로 하나님께 영광을 돌리는 길이에요.

하루 일과를 보내요 ✱

준비물 ▶ 이불, 베개, 소꿉놀이 도구, 책, 책가방, 옷, 잠옷, 세면도구(빗, 칫솔, 수건 등)

❶ 아이들에게 아침에 일어나서 밤에 잠들기까지 하루 일과를 생각해 보라고 한다.

❷ 잠자리에서 일어나고, 아침을 먹고, 이를 닦고, 머리를 빗고, 옷을 입고, 유치원에 다녀오고, 친구와 동생, 부모님과 놀고, 저녁을 먹고, 책을 읽고, 씻고, 잠옷을 입고, 잠자리에 들기까지 하루의 일과를 흉내 내어 본다.

❸ 아이들에게 똑같은 일과를 여러 번 반복해 보라고 한다.

   인도자 솔로몬은 사람들이 계속 같은 일을 반복하며 살아가는 모습을 보며 '그렇게 열심히 일해서 무엇을 얻을까?'라는 생각을 했어요. 그리고 하나님만이 우리에게 살아가는 이유를 주신다는 것을 알게 되었어요. **하나님은 우리에게 살아가는 목적을 주세요.** 하나님이 우리에게 주신 목적을 알 수 있도록 도와주시는 분이 바로 예수님이세요. 예수님은 우리를 죄에서 구원하시고, 하나님이 우리를 지으신 목적대로 하나님을 찬양하며 살아갈 수 있게 도와주세요.

간식

준비물 ▶ 시리얼, 우유

❶ 카운트다운 영상, 정리하기 노래 등을 활용해 활동이 끝났음을 알린다. 아이들에게 주변을 정리하게 하고, 화장실에 가거나 물티슈 등을 이용해 손을 씻을 시간을 준다.

❷ 감사 기도를 드리고 시리얼과 우유를 간식으로 나누어 준다. 간식을 먹으면서 간식 시간에 보이는 여러 물건들(숟가락, 그릇, 시리얼, 우유 등)의 목적에 대해 이야기해 본다. 아이들에게 우리의 목적은 하나님이 주신다는 사실을 떠올려 준다.

❸ 간식을 먹은 후 마무리 정리를 잘하도록 지도한다.

마무리

준비물 ▶ 유치부 교재 41쪽 메시지 카드, 소그룹 활동지, 파일

❶ 이번 주 메시지 카드로 부모님과 함께 오늘 배운 성경 이야기를 나누어 보라고 한다.

가족과 활동해요

• 해가 뜨거나 지는 광경을 가족과 함께 지켜보세요. 매일 해가 뜨고 지게 하시는 하나님에 대해 이야기를 나누세요.

• 정말 갖고 싶었는데 막상 갖고 나니 곧 싫증이 난 물건이 있다면 친구에게 나누어 주세요. 우리를 진짜로 행복하게 해 주실 수 있는 분은 하나님밖에 없다는 사실을 기억하세요.

❷ 소그룹 활동지를 떼어 파일에 끼우고 가방에 정리하게 한다.

❸ 아이들을 위해 기도한다.

> **인도자** 하나님, 하나님이 없으면 우리는 왜 살아야 하고 무엇을 위해 살아야 하는지 알 수 없어요. 예수님을 믿고 의지하며 살아가는 우리는 모든 일에서 하나님께 영광을 돌리며 살아야 해요. 우리가 이 사실을 깨닫게 해 주셔서 감사해요. 정말 하나님께 영광 돌리며 살아가는 우리가 되게 해 주세요. 예수님의 이름으로 기도합니다. 아멘.

❹ 아이를 데리러 온 부모에게 아이가 특별히 즐거워했거나 잘했던 활동들에 대해 이야기해 주고, 가정에서 성경 읽기와 가족 활동을 진행할 수 있도록 격려한다.

 **나만의 기록장**

(예수님이 옆에 계신다고 느끼며) 하나님께 영광 돌리는 내 모습 그리기

12
욥이
고난을 받았어요

[욥 1~42장]

주제	욥은 하나님이 모든 것을 다스리신다는 것을 알게 되었어요.
예수님 생각하기	욥의 이야기를 들으면 예수님이 생각나요. 예수님도 아무 죄 없이 우리의 죄를 위해 대신 고통을 받으셨어요. 예수님은 우리가 힘들 때 우리를 위로해 주세요. 우리가 믿고 의지할 수 있는 분이시지요.

단원 암송	시 100:5
성경의 초점	왜 하나님을 믿고 의지할 수 있나요? 하나님은 선한 분이시기 때문이에요.

욥의 이야기는 오직 하나님만이 전능하시고 주권자이시며 선하시다는 사실을 깨닫게 해 줍니다. 이 이야기는 누구에게나 적용될 수 있습니다. 이 세상을 살아가는 사람이라면 누구나 고통을 겪기 때문입니다. 하나님과 욥이 나누는 대화를 보면 하나님의 성품이 명확하게 드러납니다.

"네가 너의 날에 아침에게 명령하였느냐 새벽에게 그 자리를 일러 주었느냐"(욥 38:12)라는 질문은 하나님이 전능하시다는 것을 알려 줍니다. "독수리가 공중에 떠서 높은 곳에 보금자리를 만드는 것이 어찌 네 명령을 따름이냐"(욥 39:27)라는 질문을 통해서는 하나님이 주권자이심을 알 수 있습니다. 또한 "까마귀 새끼가 하나님을 향하여 부르짖으며 먹을 것이 없어서 허우적거릴 때에 그것을 위하여 먹이를 마련하는 이가 누구냐"(욥 38:41)라는 질문은 하나님이 선하시다는 것을 보여 줍니다.

욥은 고통을 겪는 동안 결코 하나님을 떠나지 않았습니다. 하나님의 질문에 대한 욥의 대답을 주목해 보십시오. "보소서 나는 비천하오니 무엇이라 주께 대답하리이까 손으로 내 입을 가릴 뿐이로소이다"(욥 40:4). 욥은 자신의 고통을 이해하지 못했습니다. 하지만 하나님이 누구이신지는 알았습니다.

욥기는 인간이 살면서 겪는 고통을 여실히 보여 줄 뿐만 아니라, 고통을 겪는 인간이 하나님과 어떻게 관계를 맺어야 하는지도 보여 줍니다. 욥은 때때로 하나님에 대해 의구심을 가지기는 했지만 결코 하나님을 떠나지 않았습니다. 욥의 고통은 오히려 그가 하나님께 더 가까이 가도록 만들었습니다.

욥은 예수님을 따르는 일이 그만한 가치가 있다는 사실을 우리에게 알려 줍니다. 하나님은 선하시고, 고통의 현장에 함께하시며, 모든 것을 주관하십니다. 우리는 우리가 견뎌야 할 고통이 이해되지 않을 때도 하나님을 믿고 의지할 수 있습니다. 하나님은 우리를 죄로부터 완전히 구원하시는 궁극의 선을 성취하시기 위해 십자가라는 궁극의 고통을 사용하셨습니다.

● ● **티칭 포인트**

아이들이 욥의 이야기를 이해하고 그 속에 숨은 뜻을 깨달을 수 있도록 기도하고 도와주십시오. 나아가 진정으로 고통받는 종이신 예수님께로 아이들을 인도해 주십시오. 예수님은 참으로 아무 죄도 없이 가장 큰 고통을 받으셨습니다. 우리가 고통 중에나 기쁨 중에나 하나님께 더 가까이 나아갈 수 있도록 하시기 위해서입니다.

욥이 고난을 받았어요

욥 1~42장

욥은 하나님을 사랑하는 착한 사람이었어요. 그는 하나님의 뜻을 따르고 싶어 했어요. 하나님은 욥이 정직하고 하나님을 두려워하는 착한 사람이라고 말씀하셨어요.

어느 날 욥에게 아주 나쁜 일들이 일어나기 시작했어요. 욥은 부자였는데, 강도들이 쳐들어와서는 가축들을 모두 훔쳐갔어요. 큰 바람이 불더니 집이 무너져 자녀들이 다 죽었어요. 뿐만 아니라 욥의 온몸에 심한 종기가 나서 견디기 어려웠어요. 욥은 너무 슬프고 고통스러웠어요! 욥은 자신에게 왜 이처럼 끔찍한 일이 일어나는지 그 이유를 알 수 없었어요.

욥은 친절한 사람이었어요. 가난한 사람들을 도와주었고, 사람들에게 존경을 받았지요. 다른 사람들에게 조언도 많이 해 주었어요. 그러나 욥에게 어려운 일이 생기자 사람들은 욥을 놀리고 못되게 굴었어요.

세 친구가 욥을 찾아왔어요. 그들은 욥에게 하나님께 순종하고 잘못한 일에 대해 용서를 구하라고 했어요. 욥이 죄를 지어서 벌을 받고 있는 것이라고요. 욥은 이렇게 말했어요. "하지만 나는 아무 잘못도 저지르지 않았어." 욥은 너무 지치고 화가 났어요. "하나님을 만나 왜 이런 일이 일어나는지 물어보고, 내가 그동안 얼마나 착하게 살았는지 말씀드리고 싶어."

또 한 명의 친구가 찾아왔어요. 그의 이름은 엘리후였어요. 엘리후는 세 친구에게 화를 냈어요. 욥이 잘못된 말을 하고 있는데도 바로잡아 주지 못한다면서요. 그는 욥에게 하나님이 불공평하다고 불평하는 것은 잘못이라고 말했어요.

그때 하나님이 폭풍 가운데서 욥에게 말씀하셨어요. 이렇게 물으셨지요. "내가 땅을 만들 때 너는 어디 있었느냐? 땅이 얼마나 큰지 네가 잴 수 있겠느냐? 네가 번개를 보낼 수 있느냐? 네가 말을 힘세게 만드느냐? 독수리가 네가 일러 준 곳에 둥지를 트느냐? 세상에서 가장 힘이 센 동물도 내가 만들었다. 네가 그것을 사로잡을 수 있겠느냐? 네가 악어는 잡을 수 있겠느냐?"

욥은 하나님이 얼마나 위대한 분이신지를 깨달았어요. 하나님은 모든 것을 하실 수 있고, 강하시며, 지혜로우신 분이에요. 하나님은 어떻게 해야 이 세상이 제대로 움직이는지 알고 계신답니다. 하나님은 사람들이 두려워하는 어떤 것보다 더 힘이 센 분이세요. 사람은 하나님이 하시는 일을 다 이해할 수 없지만, 항상 하나님을 믿고 의지할 수 있어요. 하나님은 하나님의 영광과 우리를 위해 선한 일을 하시기 때문이에요.

욥의 이야기는 행복하게 끝났어요. 욥은 다시 건강해졌고, 예전보다 더 큰 부자가 되었어요. 자녀들도 더 많이 낳았지요. 욥은 오랫동안 행복하게 살면서 자녀들과 손자들과 증손자들이 자라는 모습까지 보았답니다.

욥의 이야기를 들으면 예수님이 생각나요. 예수님도 아무 죄 없이 우리의 죄를 위해 대신 고통을 받으셨어요. 예수님은 우리가 힘들 때 우리를 위로해 주세요. 우리가 믿고 의지할 수 있는 분이시지요.

가스펠 준비

싱글벙글 환영해요

"감사함으로"(지도자용 팩)를 튼다. 아이들을 반갑게 맞이하며 헌금과 기도를 도와준다. 예배 중 헌금 순서가 있다면 아이들이 헌금을 잘 간수하도록 돕는다. 가방과 외투를 정리하도록 안내한다. 새로 온 아이가 있다면 음수대와 화장실의 위치를 알려 주고, 보호자와 만나는 시간과 방법 등을 소개한다. 보호자들을 위한 안내문을 붙여 아이와 만나는 시간, 기다리는 장소, 헌금 방법, 아이에 대한 특별한 주의 사항을 교사에게 미리 알려 주기 등을 공지한다.

너랑 나랑 마음 열기

주제와 관련 있는 퍼즐이나 블록 등 아이들이 좋아하는 장난감을 몇 가지 비치해 두고 다양한 활동을 하며 예배를 준비하도록 돕는다. 아이들이 마음을 열고 오늘의 주제에 관심을 갖게 하며 예배에 집중할 수 있도록 도와준다. 교회 형편에 맞게 시간과 활동 방법을 조절한다.

누가 대장일까요? * 　　　　　　　　　　　　　　　　　　준비물 ▶ 눈가리개

❶ 아이들을 마주 보고 둥글게 앉힌다. 술래를 한 명 뽑아 눈가리개를 채운 후 원 가운데 앉을 수 있도록 지도한다.

❷ 아이들에게 인도자가 조용히 한 명의 아이를 가리켜 '대장'으로 삼을 텐데 '대장'이 하는 행동을 따라 하되, 술래가 누가 '대장'인지 알아맞히지 못하도록 재빨리 행동해야 하며, 술래는 누가 '대장'인지 알아맞히는 게임이라고 설명해 준다.

예) 다리 쭉 뻗어 이마를 무릎에 닿게 하기, 양손 등 뒤에서 깍지 끼우기, 머리 긁적이기 등.

❸ 인도자가 "시작!"을 외친 후 조용히 '대장'을 지목하면서 게임을 시작한다.

❹ 술래에게 눈가리개를 벗은 후 누가 '대장'인지 알아맞혀 보라고 한다. 맞힐 기회를 3회 준다.

❺ '대장'을 다음 술래로 정해 게임을 반복한다.

인도자 　우리는 대장의 행동을 따라 했어요. 그런데 술래는 행동을 시작한 대장이 누구인지 알기 힘들었지요. 오늘의 성경 이야기에 나오는 욥이라는 사람도 누가 어떤 일들을 시작했는지 알기 어려웠대요. 그에게는 정말 안 좋은 일들이 많이 일어났거든요. 결국 욥은 무엇을 깨달았을까요? 성경 이야기를 잘 들어 보세요.

공을 지켜요 *

❶ 낙하산을 동그랗게 펼쳐 놓고 아이들을 주변에 빙 둘러 세운다.

❷ 낙하산 위에 탱탱볼을 올린 다음 아이들에게 낙하산 가장자리를 잡은 후 팽팽해지도록 당기라고 한다. 인도자의 "오른쪽!", "왼쪽!" 지시에 따라 탱탱볼을 각각 오른쪽과 왼쪽으로 조종하는 연습을 해 본다.

❸ 인도자가 2명의 아이들을 선택하고 이름을 부르면, 모두 힘을 합쳐 탱탱볼이 2명의 아이들 사이로 굴러 통과할 수 있도록 낙하산을 조종하도록 지도한다. 활동을 여러 번 반복한다.

> tip 연령대가 낮은 경우 낙하산에서 탱탱볼을 떨어뜨리지 않는 것을 목표로 한다.

> **인도자** 탱탱볼을 낙하산 위에 올려놓고 방향을 조종하는 일은 참 어려운 일이군요! 오늘 우리는 자신에게 일어나는 일들을 전혀 자기 마음대로 조종할 수 없었던 한 사람의 이야기를 배우게 될 거예요. 그의 이름은 욥이었지요. 욥은 어떤 어려움을 겪었으며, 무엇을 깨달았을까요? 이제부터 들려줄 성경 이야기를 잘 들어 보아요.

블록 놀이를 해요 *

❶ 아이들이 블록을 이용해 자유롭게 만들기 놀이를 할 수 있도록 지도한다.

> **인도자** 멋지게 잘 만들었어요. 블록은 누구 마음대로 움직였나요? 블록을 가진 사람의 마음대로 움직였지요. 블록을 어떻게 쌓을지, 어떤 블록을 어디에 사용할지 모두 내가 정했지요. 하지만 블록이 완전히 내 마음대로 되는 것은 아니었어요. 무너질 때도 있고, 튀어나오기도 하고, 가끔은 모자라기도 했어요. 심지어 다른 친구가 와서 내가 애써 쌓아 놓은 블록을 부숴 버리기도 했지요. 이처럼 우리가 블록을 우리 마음대로 할 수 없을 때가 있어요. 오늘의 성경 이야기에도 마음대로 할 수 없는 일들이 일어나 힘들었던 한 사람이 나와요. 어떤 이야기일지 잘 들어 보아요.

예배 대형으로 모이기

- 카운트다운 영상, 모이기 노래 등을 활용해 예배 대형으로 바꾸고 마음을 준비하게 한다.
- 공간을 이동해야 한다면 고통스러운 표정을 지으며 가도록 한다.

가스펠
설교

하나 들어가기

준비물 ▶ 리모컨(게임 조종기)

아이들이 리모컨을 조작해 볼 수 있도록 지도한다.

리모컨을 들고 있는 사람은 TV 화면에 무슨 프로그램이 나오게 할지 조종할 수 있어요. 우리는 오늘의 성경 이야기에서 이 세상 모든 것을 다스리시는 분이 누구이신지 배우게 될 거예요. 그분은 이 세상을 다스리기 위해 리모컨 같은 것이 필요하지 않은 분이세요!

둘 ― 성경 이야기

욥기를 편다. 설교 영상(지도자용 팩)을 보여 주거나 이야기 성경을 들려준다.

성경에 나오는 이야기들은 모두 진짜예요. 왜냐하면 성경은 하나님의 말씀을 담은 책인데, 하나님의 말씀은 진짜이기 때문이지요. 오늘 우리가 배울 부분은 '욥기'예요.

셋 ― 메시지와 정리

욥은 도대체 왜 자신에게 어려운 일들이 계속 일어나는지 알 수 없었어요. 하지만 **욥은 하나님이 모든 것을 다스리신다는 것을 알게 되었어요.** 욥의 이야기를 들으면 예수님이 생각나요. 예수님은 죄가 없으시기 때문에 어떤 고통도 받을 이유가 없었어요. 하지만 예수님은 우리가 지은 죄에 대한 벌을 대신 받기 위해 고통을 겪으셨지요. 예수님의 고통은 우리를 죄에서 구원해 주시려는 하나님의 계획의 일부였답니다.

연대표(지도자용 팩)를 가리키면서 복습 질문을 한다.

1. 욥에게 어떤 어려운 일들이 찾아왔나요? 강도들이 가축들을 훔쳐갔고, 자녀들이 다 죽었고, 자신은 온몸에 심한 종기가 났다

2. 욥의 세 친구들은 욥에게 안 좋은 일이 일어나는 이유가 무엇이라고 생각했나요? 욥이 하나님께 죄를 지어 벌을 받는 것이라고 생각했다

3. 하나님은 무엇 가운데서 욥에게 말씀하셨나요? 폭풍 가운데서

4. 하나님이 하시는 일을 사람이 항상 이해할 수 있나요? 항상 이해할 수는 없다. 하지만 우

리는 항상 하나님을 믿고 의지할 수 있다

5. 욥의 이야기는 어떻게 끝이 나나요? 욥은 건강해졌고, 더 큰 부자가 되었으며, 자녀들을 더 많이 낳았다

넷 — 성경의 초점

"왜 하나님을 믿고 의지할 수 있나요?", **"하나님은 선한 분이시기 때문이에요."** 욥에게 일어난 일들은 좋은 일처럼 보이지 않아요. 슬프고 아프지요. 하지만 하나님이 모든 것을 다스리고 계셨어요. 하나님은 좋은 분이세요. 때로는 하나님이 하시는 일이 이해되지 않을 수 있어요. 하지만 그때에도 우리는 하나님이 우리가 지은 죄에 대한 벌을 대신 받게 하려고 아들이신 예수님을 보내 주실 만큼 좋은 분이시라는 것을 꼭 기억해야 해요.

다섯 — 복음 초청

성경과 36쪽 복음 초청 가이드를 이용해서 아이들에게 그리스도인이 되는 법을 설명해 준다. 따로 상담해 줄 사람을 정해 주고 궁금한 점이 있으면 물어보도록 격려한다.

이 시간 예수님을 믿고 마음에 모시고 싶은 친구는 함께 기도해요.

여섯 — 기도

좋으신 하나님, 감사해요. 욥에게 일어난 일들은 좋은 일처럼 보이지 않았어요. 하지만 하나님이 그 모든 일 가운데 함께하셨다는 사실을 알게 되었어요. 하나님은 정말 좋은 분이심을 믿어요. 하나님의 일이 이해되지 않더라도 우리가 하나님께 기쁜 마음으로 순종하게 해 주세요. 힘든 순간에도 하나님을 믿고 사랑할 수 있도록 도와주세요. 예수님의 이름으로 기도합니다. 아멘.

일곱 — 암송송

성경에서 시편 100편 5절을 펴고 큰 소리로 여러 번 따라 읽게 한다.

영원하다는 것은 끝이 없다는 거예요. 그리고 언제나 변하지 않는다는 뜻이기도 해요. 하나님은 끝이 없이, 그리고 언제나 변함없이 선하시고, 인자하시고, 성실하신 분이에요. 우리는 어떤 상황에서도 하나님을 믿고 의지할 수 있어요.

암송송(162쪽)에 맞추어 손유희를 하며 말씀을 익힌다.

"여호와는 선하시니 그의 인자하심이 영원하고 그의 성실하심이 대대에 이르리로다"(시 100:5).

가스펠 소그룹

알콩달콩 — 말씀 놀이

언제나 나와 함께하세요

준비물 ▶ 유치부 교재 26쪽, 45쪽 '예수님' 스티커

이야기 나누기

- 언제, 무엇을 할 때 하나님께 기도하나요?
- 예수님이 내 옆에 계셔서 좋다고 느꼈던 적이 있나요? 언제, 무엇을 할 때였나요?

❶ 예수님이 나의 모든 것을 아시며, 살아가는 모든 순간에 함께하신다는 사실을 믿는지 아이들에게 물어본 뒤 그림을 보고 어떤 상황인지 이야기를 나누어 본다.

❷ 내가 어디에서 무엇을 하든지 언제나 나와 함께하시며 좋은 친구가 되어 주시는 예수님을 생각하며 45쪽 '예수님' 스티커를 각각의 그림에 붙여 주라고 한다.

> **인도자** 하나님은 모든 일을 하실 수 있고, 힘이 세시며, 지혜로우세요. 하나님은 어떻게 해야 이 세상이 잘 움직이는지도 알고 계시지요. 힘든 일을 겪으면서 **욥은 하나님이 모든 것을 다스리신다는 것을 알게 되었어요.** 하나님은 언제나 우리를 다스리고 계세요. 하나님은 우리를 죄에서 구원하시려고 예수님을 보내 주셨어요. 우리는 십자가에서 죽으시고 다시 살아나신 예수님을 믿어요. 예수님은 우리가 기쁠 때도, 슬플 때도, 너무 무서울 때도 언제나 우리와 함께해 주신답니다.

바퀴 달린 장난감을 운전해요 *

준비물 ▶ 바퀴 달린 장난감(자동차, 오토바이, 기차, 자전거 등), 컬러 박스 테이프

❶ 컬러 박스 테이프를 이용해 출발선과 도착선을 표시해 둔다.

❷ 아이들을 4명씩 한 팀으로 나눈 후 4종류의 바퀴 달린 장난감 중에 하나씩 선택하라고 한다. 가위바위보를 해서 진 사람이 가장 먼저 선택할 수 있도록 규칙을 정한다.

❸ 아이들을 출발선 뒤로 옆으로 길게 한 줄로 세우고, ❷를 잡고 경주할 준비 자세를 취하도록 지도한다.

❹ 인도자가 "출발!"을 외치면 빠른 걸음으로 경주해 도착선에 먼저 도착해야 한다고 말해 준다.

146

`tip` 안전사고를 방지하기 위해 뛰지 않고 빠른 걸음으로 걸어야 하고, 바퀴가 예배실 바닥에서 떨어지면 안 되고, 양옆의 선수와 부딪치면 탈락이라는 등 게임의 규칙을 미리 정해 두는 것이 좋다.

인도자 운전을 아주 잘했어요. 자동차나 로봇을 만든 사람이라면 자동차나 로봇을 움직이는 방법을 잘 알고 있겠지요? 자, 여기서 질문 하나 할게요. 그러면 이 세상 모든 것은 누가 만드셨나요? 아이들의 대답을 기다린다. 맞아요, 하나님이 만드셨어요. 이 세상을 움직이고 계신 분은 누구시지요? 아이들의 대답을 기다린다. 네, 하나님이세요! 이 세상에서 일어나는 일들은 모두 하나님의 계획의 일부예요. 하나님의 계획 중에는 예수님이 우리를 위에 이 땅에 오신 일도 포함되어 있었답니다. 우리도 하나님의 계획 중에 하나예요!

고통받고 있는 이웃을 격려해요 ＊

준비물 ▶ A4 용지, 꾸미기 도구(색연필, 사인펜, 스티커 등), 카드 봉투, 우표

❶ 아이들에게 지금 이 순간에도 전 세계의 많은 사람이 욥처럼 고통받고 있다고 말해 준다.

❷ 사랑과 정성을 가득 담아 격려 카드를 만들어서 어려움을 겪고 있는 이웃을 위로하는 시간을 갖자고 말한다.

`tip` 어린이 병동이나 양로원 등에 카드와 함께 작은 선물을 준비해 함께 보내도 좋다.

❸ 어떤 말로 격려할 수 있을지 이야기를 나누어 보고, A4 용지에 꾸미기 도구를 사용해 글이나 그림으로 표현해 보라고 한다.

❹ 격려 카드를 받을 이웃에게 전달할 수 있는 방법을 부모에게 물어보고 아이를 통해 직접 전달하거나 우편으로 보낸다.

인도자 죄가 들어온 이후 이 세상에는 항상 나쁜 일이 일어나요. 하지만 하나님은 나쁜 일을 좋은 일로 바꾸는 일에 최고인 분이세요. **욥은 하나님이 모든 것을 다스리신다는 것을 알게 되었어요.** 욥은 모든 것을 잃었지만, 하나님은 훨씬 더 많은 것으로 돌려주셨어요. 하나님은 예수님의 죽음이라는 세상에서 가장 슬픈 일도 우리를 위한 최고의 소식으로 바꿔 버리셨어요. 예수님의 죽음 때문에 우리의 죄가 사라진 거예요. 예수님이 고통을 받으셨기 때문에 우리가 하나님과 영원히 함께 살 수 있게 되었답니다.

소곤소곤 꿀~꺽 간식

준비물 ▶ 제철 과일, 요구르트

❶ 카운트다운 영상, 정리하기 노래 등을 활용해 활동이 끝났음을 알린다. 아이들에게 주변을 정리하게 하고, 화장실에 가거나 물티슈 등을 이용해 손을 씻을 시간을 준다.

❷ 감사 기도를 드리고 제철 과일과 요구르트를 간식으로 나누어 준다. 간식을 먹으면서 아이들에게 과일을 만들 수 있는지 물어보고, 오직 하나님만 과일을 만드실 수 있다고 말해 준다. 하나님이 욥에게 하셨던 질문들을 아이들에게 해 본다. 하나님의 말씀을 들은 욥은 하나님이 사람보다 훨씬 위대한 분이시라는 사실을 깨달았다고 이야기해 준다.

❸ 간식을 먹은 후 마무리 정리를 잘하도록 지도한다.

오순도순 마무리

준비물 ▶ 유치부 교재 43쪽 메시지 카드, 소그룹 활동지, 파일

❶ 이번 주 메시지 카드로 부모님과 함께 오늘 배운 성경 이야기를 나누어 보라고 한다.

가족과 활동해요

• 우리 동네에 어려움을 겪고 있는 이웃이 있나요? 음식을 선물하거나, 아이를 돌봐 주거나, 격려 카드를 보내는 등 실제적인 방법으로 그들을 도와주세요.

❷ 소그룹 활동지를 떼어 파일에 끼우고 가방에 정리하게 한다.

❸ 아이들을 위해 기도한다.

> **인도자** 하나님, 하나님은 모든 것을 다스리시는 분이에요. 하나님이 하시는 일이 이해되지 않아도 하나님이 좋은 분이시라는 사실을 절대로 잊지 않게 해 주세요. 하나님은 우리가 지은 죄의 벌을 대신 받게 하려고 아들이신 예수님을 이 땅에 보내실 만큼 정말 좋은 분이세요. 하나님, 정말 감사해요. 우리가 어려움을 겪을 때 예수님을 믿고 의지할 수 있게 도와주세요. 예수님의 이름으로 기도합니다. 아멘.

❹ 아이를 데리러 온 부모에게 아이가 특별히 즐거워했거나 잘했던 활동들에 대해 이야기해 주고, 가정에서 성경 읽기와 가족 활동을 진행할 수 있도록 격려한다.

 **나만의 기록장**

내가 가장 힘들었던 상황과 그 순간 내 곁에 계셨던 예수님 그리기

13

하나님을 찬양해요

(시 1편, 100편, 110편)

주제   사람들은 하나님을 찬양하기 위해 노래를 지었어요.

예수님 생각하기   하나님은 하나님의 백성이 하나님께 드린 모든 기도와 찬양을 언제나 들으셨어요. 하나님이 그들의 기도와 찬양을 듣고 약속대로 주신 대답은 바로 예수님을 보내신 거예요. 예수님은 십자가에서 죽으심으로 하나님의 백성을 죄에서 구원하셨어요.

단원 암송   시 100:5

성경의 초점   왜 하나님을 믿고 의지할 수 있나요? 하나님은 선한 분이시기 때문이에요.

예수님은 부활하신 날 밤에 엠마오를 향해 가는 두 제자에게 나타나 이렇게 말씀하셨습니다. "내가 너희와 함께 있을 때에 너희에게 말한바 곧 모세의 율법과 선지자의 글과 시편에 나를 가리켜 기록된 모든 것이 이루어져야 하리라"(눅 24:44).

어떻게 시편 말씀이 우리가 예수님을 바라보도록 할까요? 메시아에 관한 내용을 함축하고 있는 몇몇 시편들이 있긴 하지만, 탄식의 시나 확신을 선포하는 시, 하나님의 백성을 향한 하나님의 사랑을 설명하는 시들이 예수님과 과연 무슨 상관이 있을까요?

시편에 실린 시들 중 절반가량은 다윗이 쓴 것입니다. 나머지는 모세, 솔로몬을 포함한 다른 사람들이 썼습니다. 이 시들은 하나님의 백성이 드리는 고백입니다. 수없이 다양한 상황에 부닥친 사람들이 하나님께 쏟아 놓은 그들의 마음입니다.

시편 51편에서 다윗은 밧세바와 지은 죄를 나단 선지자에게 책망받은 후 목 놓아 울며 하나님께 용서를 구했습니다. 시편 90편에서는 모세가 하나님의 백성에게 긍휼을 베풀어 주실 것을 하나님께 간절히 구했습니다. 시편 100편은 "여호와는 선하시니 그의 인자하심이 영원하다"(시 100:5)라고 하나님께 감사드리는 시입니다.

하나님은 이러한 자기 백성의 고백에 대해 독생자 예수님을 보내는 것으로 응답하셨습니다. 예수님은 다윗이 간절히 구하던 용서를 베푸셨습니다. 십자가에서 죽으심으로 자격 없는 죄인들을 구원하셨습니다. 하나님은 예수님을 통해 긍휼하심과 선하심을 보이셨고 하나님의 백성을 향한 영원한 사랑을 나타내셨습니다. 예수님은 우리 마음이 애타게 갈망하는 분이십니다. 그분은 우리의 기도와 울부짖음, 그리고 우리의 찬양에 대한 하나님의 대답이십니다.

●● 티칭 포인트

사람들은 하나님이 어떤 분이신지 찬양하기 위해 노래들을 지었습니다. 시편은 하나님을 찬양하며 예수님을 바라보도록 하는 노래가 담긴 하나님의 영감으로 기록된 귀한 책이라는 것을 알려 주십시오. 그리고 하나님은 우리의 부르짖음을 들으시는 분이라는 것을 가르쳐 주십시오. 하나님은 우리에게 예수님을 보내심으로 우리 마음의 가장 깊은 갈망을 채워 주셨습니다.

하나님을 찬양해요

시 1편, 100편, 110편

성경에 나오는 많은 사람이 하나님께 자신의 마음을 표현하는 노래를 썼어요. 이 노래들을 모아 놓은 책이 바로 '시편'이에요. 시편은 한 사람이 지은 것이 아니라 오랜 세월에 걸쳐 많은 사람이 지은 시들을 모은 거예요. 하나님의 백성은 한자리에 모여 이 노래들을 부르며 하나님께 찬양했어요. 그들은 적군을 물리치고 승리하게 하신 하나님을 찬양했어요. 하나님이 만드신 놀라운 세상을 보고 감탄하며 노래하기도 했지요. 또한 그들을 돌보시는 하나님께 감사의 찬양을 드리기도 했어요.

사람들은 슬플 때도 노래를 지었어요. 그들은 큰 소리로 울며 자신의 슬픈 마음을 하나님께 이야기했어요. 때로는 죄를 짓고 하나님께 잘못했다고 용서를 구하기 위해 노래를 짓기도 했어요.

시편 1편에는 세상을 살아가는 두 가지 모습이 나와요. 올바른 모습과 잘못된 모습이에요. 이 두 가지 모습으로 사는 것은 마치 두 가지의 전혀 다른 길을 걸어가는 것과 같아요. 한 길은 어둡고 죽음에 이르게 해요. 다른 길은 밝고 생명으로 이끌지요.

올바른 모습으로 살아가는 사람은 하나님의 말씀을 사랑해요. 그래서 낮이나 밤이나 하나님의 말씀을 생각해요. 이런 사람은 시냇물을 마음껏 빨아들여 튼튼하고 건강한 나무와 같아요. 하지만 잘못된 모습으로 살아가는 사람은 악해요. 하나님은 그런 사람에게 영원한 생명을 주지 않으세요. 악한 사람은 올바른 모습으로 살아가는 사람과 함께 있을 수 없어요.

시편 100편은 사람들이 하나님께 "감사합니다"라고 고백하는 노래예요. 하나님의 백성은 이렇게 노래했어요. "여러분, 하나님께 큰 소리로 노래합시다. 기뻐하며 하나님을 섬깁시다. 즐겁게 노래를 부릅시다. 여호와께서 우리 하나님이십니다. 그분이 우리를 만드셨고, 우리는 그분의 백성입니다! 하나님께 '감사합니다!'라고 말하며 찬양합시다. 하나님은 좋은 분이시고 우리를 영원히 사랑하십니다."

시편 110편은 다윗왕이 쓴 노래예요. 이 시는 왕이자 제사장인 한 사람, 즉 우리를 구원하실 메시아에 대한 거예요. 다윗은 이 왕이 많은 나라를 다스릴 것이며, 그의 군대는 강할 것이라고 썼어요. 다윗은 하나님이 약속을 지키시는 분이며, 왕과 함께하며 그를 강하게 만들어 주실 것이라고 노래했어요. 왕이 전쟁에 나갈 때면 하나님이 힘을 주셔서 이기게 하실 거예요.

●● 예수님 생각하기

하나님은 하나님의 백성이 하나님께 드린 모든 기도와 찬양을 언제나 들으셨어요. 하나님이 그들의 기도와 찬양을 듣고 약속대로 주신 대답은 바로 예수님을 보내신 거예요. 예수님은 십자가에서 죽으심으로 하나님의 백성을 죄에서 구원하셨어요.

싱글벙글 — 환영해요

"감사함으로"(지도자용 팩)를 튼다. 아이들을 반갑게 맞이하며 헌금과 기도를 도와준다. 예배 중 헌금 순서가 있다면 아이들이 헌금을 잘 간수하도록 돕는다. 가방과 외투를 정리하도록 안내한다. 새로 온 아이가 있다면 음수대와 화장실의 위치를 알려 주고, 보호자와 만나는 시간과 방법 등을 소개한다. 보호자들을 위한 안내문을 붙여 아이와 만나는 시간, 기다리는 장소, 헌금 방법, 아이에 대한 특별한 주의 사항을 교사에게 미리 알려 주기 등을 공지한다.

너랑 나랑 — 마음 열기

주제와 관련 있는 퍼즐이나 블록 등 아이들이 좋아하는 장난감을 몇 가지 비치해 두고 다양한 활동을 하며 예배를 준비하도록 돕는다. 아이들이 마음을 열고 오늘의 주제에 관심을 갖게 하며 예배에 집중할 수 있도록 도와준다. 교회 형편에 맞게 시간과 활동 방법을 조절한다.

어느 팀이 더 많이 감사한가요? ✱   준비물 ▶ 스톱워치

❶ 아이들을 2팀으로 나누고, 각 팀의 대표를 정하라고 한다.

❷ 인도자가 20초를 세는 동안 아이들이 차례대로 하나님께 감사한 일을 말하면 대표가 감사 제목의 개수를 세어 인도자에게 말해 주면 된다는 게임의 규칙을 설명해 준다. 이때 감사 제목을 말하는 형식은 "~해 주셔서 감사해요"로 정한다.

❸ 감사 제목의 개수가 더 많은 팀이 이긴다.

    tip 연령대가 낮은 경우 팀을 나누어 경쟁하지 말고, 20초 동안 최대한 많은 감사 제목을 말할 수 있도록 하는 것이 좋다.

    인도자 하나님께 감사할 일이 이렇게나 많았군요! 오늘의 성경 이야기에서 우리는 사람들이 하나님께 감사드리기 위해 쓴 노래들을 배울 거예요. 기대하세요.

악기 연주를 해요 *

❶ 아이들이 다양한 리듬 악기를 탐색하는 동안 찬양을 틀어 둔다.

❷ 아이들과 함께 찬양에 맞추어 리듬 악기로 연주를 해 본다.

tip 찬양 가사를 개사한 후 리듬 악기를 연주하며 불러 보는 것도 좋다.

인도자 음악은 우리가 하나님을 찬양하는 방법 중에 하나예요. 오늘의 성경 이야기에서 우리는 사람들이 하나님께 이야기하기 위해 지은 노래들에 대해 배울 거예요. 사람들은 하나님께 감사드리거나 하나님을 찬양하기 위해 노래를 불렀어요. 슬프고 힘든 마음을 하나님께 털어놓기 위해 노래를 부르기도 했지요.

예배 대형으로 모이기

• 카운트다운 영상, 모이기 노래 등을 활용해 예배 대형으로 바꾸고 마음을 준비하게 한다.
• 공간을 이동해야 한다면 자신이 가장 좋아하는 찬양을 부르며 가도록 한다.

가스펠
설교

하나 — 들어가기

아이들에게 어떤 찬양을 좋아하는지 물어본다. 자원하는 아이에게 몇 소절만 불러 달라고 부탁한다.

우리는 기쁠 때나 슬플 때나 항상 노래할 수 있어요. 오늘의 성경 이야기는 많은 사람이 서로 다른 이유로 하나님께 지어 부른 노래들에 대한 거예요.

둘 — 성경 이야기

시편을 편다. 설교 영상(지도자용 팩)을 보여 주거나 이야기 성경을 들려준다.

성경은 정말 대단한 선물이에요! 하나님이 우리가 매일 읽고 들을 수 있도록 하나님의 말씀을 여기 담아 두셨으니 말이에요. 오늘의 성경 이야기는 '시편'에 대한 거예요.

셋 — 메시지와 정리

시편 중 어떤 노래들은 기쁘고, 어떤 노래들은 슬퍼요. 사람들은 하나님을 찬양하기 위해 노래를 지었어요. 사람들이 노래를 지은 이유는 모두 달랐어요. 하나님은 그들의 노래를 하나하나 다 들어 주셨어요.

연대표(지도자용 팩)를 가리키면서 복습 질문을 한다.

1. '시편'이란 무슨 뜻인가요? 노래(시)들의 모음
2. 성경에 나오는 많은 사람이 왜 시편을 썼나요? 하나님께 이야기하기 위해
3. 사람들이 하나님께 노래를 부른 이유를 말해 보세요. 적군을 물리치고 승리하게 하신 하나님을 찬양하려고, 하나님이 만드신 놀라운 세상을 보고 감탄해서, 자신들을 돌보시는 하나님께 감사하려고, 슬픈 마음을 이야기하려고, 죄를 고백하고 용서를 구하려고 등.

넷 — ## 성경의 초점

3단원 '성경의 초점'의 질문에도 답해 보세요. **"왜 하나님을 믿고 의지할 수 있나요?"** 아이들의 대답을 기다린다. 아주 잘 대답해 주었어요. **"하나님은 선한 분이시기 때문이에요."** 시편을 쓴 사람들은 하나님께 자신의 마음을 이야기하는 것을 두려워하지 않았어요. 하나님이 선한 분이시라는 것을 알았기 때문이지요. 그들은 자신의 마음을 하나님께 믿고 맡겼어요. 하나님은 하나님의 백성을 사랑하셔서 그들의 이야기를 듣고 싶어 하신답니다.

다섯 — ## 복음 초청

성경과 36쪽 복음 초청 가이드를 이용해서 아이들에게 그리스도인이 되는 법을 설명해 준다. 따로 상담해 줄 사람을 정해 주고 궁금한 점이 있으면 물어보도록 격려한다.

이 시간 예수님을 믿고 마음에 모시고 싶은 친구는 함께 기도해요.

여섯 — ## 기도

좋으신 하나님, 하나님은 우리에게 예수님을 보내셔서 하나님이 우리를 얼마나 사랑하시는지를 보여 주셨어요. 우리를 죄에서 구원해 주셔서 감사해요. 우리는 앞으로도 사랑의 하나님을 믿고 무엇이든지 기도로 하나님께 이야기하며 살아갈래요. 하나님이 늘 힘 주실 줄 믿어요. 예수님의 이름으로 기도합니다. 아멘.

일곱 — ## 암송송

성경에서 시편 100편 5절을 펴고 큰 소리로 여러 번 따라 읽게 한다.

3단원 암송 구절은 하나님의 백성이 하나님께 감사드리며 찬양한 노래 중에 한 구절이에요. 이 말씀은 오늘의 성경 이야기에 나오는 시편 중에서 100번째 노래인 100편에 나온답니다. 이 시를 노래한 하나님의 백성은 선하시고, 인자하시고, 성실하신 하나님을 마음껏 찬양했어요. 우리도 하나님을 찬양하는 삶을 살아요.

암송송(162쪽)에 맞추어 손유희를 하며 말씀을 익힌다.

"여호와는 선하시니 그의 인자하심이 영원하고 그의 성실하심이 대대에 이르리로다"
(시 100:5).

가스펠 소그룹

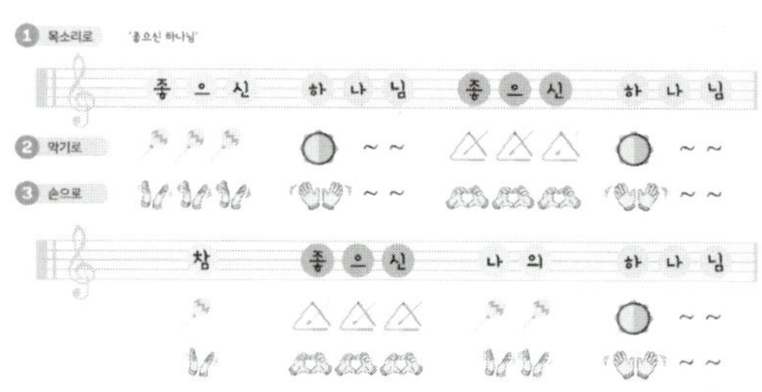

하나님을 찬양해요

준비물 ▶ 유치부 교재 28쪽, "좋으신 하나님" 찬양, 3단원 암송송(지도자용 팩), 트라이앵글, 탬버린, 마라카스

이야기 나누기
- 시편은 어떤 글인가요? 사람들은 왜 이런 시를 썼나요?
- 우리는 왜 하나님을 찬양해야 하나요?

❶ 시편에서 다윗은 악기를 연주하며 하나님을 찬양했다고 말해 준다.
❷ 우리는 어떤 방법으로 하나님을 찬양할 수 있을지 다양한 의견을 나눈다.
❸ 다양한 방법으로 하나님을 찬양해 보는 시간을 갖는다.
❹ "좋으신 하나님" 찬양을 틀고 다 함께 목소리로 찬양해 본다.
❺ "좋으신 하나님" 찬양을 틀고 친구들과 함께 악기로 찬양해 본다.
❻ "좋으신 하나님" 찬양을 틀고 손으로 찬양해 본다.
❼ '3단원 암송송'(지도자용 팩)을 다 같이 부르며 손유희를 하며 몸으로 찬양해 본다.

tip QR코드를 사용하거나 가스펠 프로젝트 홈페이지(gospelproject.co.kr)에 접속해 음원을 활용할 수 있다.

인도자 **사람들은 하나님을 찬양하기 위해 노래를 지었어요.** 노래들 속에 들어 있는 하나님의 백성의 마음은 죄에서 구원받기를 원하는 것이었어요. 노래를 들으시고 그 마음을 아신 사랑의 하나님은 예수님을 보내 주셨어요. 그리고 십자가에서 죽으신 예수님을 다시 살리시고 하나님의 백성을 구원해 주셨지요. 언제나 우리의 기도를 들어 주시는 사랑의 하나님을 찬양해요.

노래를 듣고 불러요 *

준비물 ▶ 3단원 찬양 "감사함으로"(지도자용 팩), CD 플레이어(스마트폰), 흰색 전지, 매직펜

❶ 흰색 전지에 매직펜을 이용해 3단원 찬양 "감사함으로"의 가사를 적어 예배실 앞쪽에 붙여 둔다.
❷ "감사함으로"(지도자용 팩) 찬양을 틀고 반복해서 들으며 감상한다.
❸ 찬양이 익숙해지면 다 같이 불러 본다. 이때 다양한 방법을 활용해 아이들이 더욱 즐겁게 하나님을 찬양할 수 있도록 지도한다.
　예) 한 소절씩 "아~", "에~", "이~", "오~", "우~"를 번갈아 부르기, 한 소절씩 '박수하기', '발 구르기', '만세하고 양옆으로 팔 흔들기', '차렷하기'를 번갈아 하며 부르기 등.

[인도자] 성경에 나오는 **사람들은 하나님을 찬양하기 위해 노래를 지었어요.** 하나님의 백성은 한자리에 모여 시편으로 노래를 부르며 하나님께 예배하기도 했지요. 우리도 함께 하나님을 찬양할 수 있어요. 하나님은 우리가 찬양하는 소리를 들으신답니다.

기도 그림책을 만들어요 *

준비물 ▶ A4 용지, 색연필

❶ A4 용지를 5칸이 되도록 접어서 아이들에게 나누어 준다.
❷ 각 칸에 인도자가 읽어 주는 기도문을 듣고 자신의 기도를 그림으로 표현해 '기도 그림책'을 만들어 보게 한다.
   예) 1. "하나님, 오늘 저는 기분이 ~해요." (기쁜 표정이나 슬픈 표정을 그린다.)
   　 2. "하나님, 하나님은 ~을 만드셨어요." (하나님이 창조하신 피조물을 그린다.)
   　 3. "하나님, ~해서 감사드려요." (하나님께 감사드리고 싶은 일을 그린다.)
   　 4. "하나님, ~해서 죄송해요." (잘못한 일을 그린다.)
   　 5. "하나님, 예수님을 보내 주셔서 감사드려요." (예수님이나 십자가를 그린다.)
❸ 자원하는 아이에게 자신의 '기도 그림책'을 발표할 수 있는 기회를 준다.

[인도자] 우리는 하나님께 기도하고 찬양하기 위해 그림을 그렸어요. 오늘의 성경 이야기에 나오는 **사람들은 하나님을 찬양하기 위해 노래를 지었어요.** 하나님의 백성이 하나님께 기도할 때마다 하나님은 들으셨어요. 하나님은 그들의 기도를 들어주기로 약속하셨어요. 그리고 마침내 하나님의 아들이신 예수님을 보내 약속을 지키셨어요. 예수님은 우리에게 가장 필요한 것을 주시기 위해 십자가에서 죽으시고 다시 살아나셨어요. 우리에게 가장 필요한 것은 바로 죄에서 구원받는 것이었어요.

올바른 길을 걸어요 *

준비물 ▶ 책상, 털실, 셀로판테이프, 컬러 박스 테이프, 성경

❶ 책상에 성경을 올려 둔다.
❷ 컬러 박스 테이프를 이용해 출발선을 표시해 둔다.
❸ 출발선에 털실의 한쪽 끝을 셀로판테이프를 이용해 붙인다. 예배실 바닥에 책상까지 가는 지그재그 털실 길을 만든다. 이때 예배실 바닥 전체를 사용해 넓고 복잡한 길을 2개 만든다.
❹ 아이들을 차례로 출발선에 세운 후 두 길 중 하나의 길을 골라 그 길을 따라 성경까지 가 보라고 한다.

[인도자] **사람들은 하나님을 찬양하기 위해 노래를 지었어요.** 시편 1편에는 세상을 살아가는 두 가지 모습이 나와요. 하나는 올바른 모습이고, 다른 하나는 잘못된 모습이에요. 이 두 가지 모습으로 사는 것은 마치 두 가지의 전혀 다른 길을 걸어가는 것과 같아요. 올바른 모습으로 살아가는 사람은 하나님의 말씀을 사랑해요. 그래서 낮이나 밤

이나 하나님의 말씀을 생각하지요. 하지만 잘못된 모습으로 살아가는 사람은 악해요. 다행히도 오늘 우리가 걸은 두 가지의 길은 모두 하나님의 말씀이 기록된 성경으로 가는 길이었어요. 하나님의 말씀을 사랑하면서 살면 우리는 올바른 길을 걸을 수 있어요.

좋으신 하나님을 기뻐해요 *

❶ 작은 방울 고리에 빵 끈을 끼우고 나무젓가락 한쪽 끝에 묶어 종을 완성한다.

❷ 인도자가 시편 100편을 즐거운 목소리로 읽는 동안 종을 흔들어 하나님을 찬양하라고 한다.

인도자 **사람들은 하나님을 찬양하기 위해 노래를 지었어요.** 시편 100편은 하나님께 감사드리기 위해 불렀던 노래예요. 하나님의 백성이 하나님께 기도하거나 찬양할 때 하나님은 들으셨어요. 하나님은 그들에게 응답하겠다고 약속하셨고, 마침내 하나님의 아들이신 예수님을 보내 그 약속을 지키셨어요. 예수님은 우리를 구원하시기 위해 십자가에서 죽으시고 다시 살아나셨어요.

시편을 살펴보아요 *

❶ 성경의 한가운데를 펼치면 시편이 나오는 것을 보여 준다.

❷ 각 페이지의 맨 위에 있는 '시편'이라는 제목을 가리켜서 보여 준다.

❸ 아이들에게 자신이 가진 성경에서 시편을 찾아 책갈피를 끼워 보라고 한다.

❹ 이번에는 장을 나타내는 숫자를 알려 준 다음, 책장을 넘겨 시편 119편을 찾는다. 성경은 '장' 대신에 '편'이라고 읽는다고 말해 준다. 총 몇 절인지 물어보고, 시편 119편이 성경에서 가장 긴 장이라고 말해 준다.

❺ 다음으로 시편 117편을 찾아 몇 절인지 세어 보라고 한다. 시편 117편은 성경에서 가장 짧은 장이라고 설명해 준다.

❻ 다윗의 이름이 나오는 시편(예를 들어 110편)을 찾아 보여 준 다음, 아이들에게 직접 성경책을 넘기며 다윗의 이름을 찾아 보라고 한다.

인도자 **사람들은 하나님을 찬양하기 위해 노래를 지었어요.** 시편은 오랜 세월에 걸쳐 여러 사람들이 쓴 노래를 모아 놓은 책이에요. 다윗왕도 시를 아주 많이 지었어요. 그는 왕이자 제사장인 한 사람, 즉 메시아에 대해 시를 썼어요. 그분이 누구이신지 알겠어요? 맞아요, 바로 예수님이세요! 하나님은 하나님의 백성이 하나님께 드린 모든 기도와 찬양을 언제나 들으셨어요. 하나님이 그들의 기도와 찬양을 듣고 약속대로 주신 대답은 바로 예수님을 보내신 거예요. 예수님은 십자가에서 죽으심으로 하나님의 백성을 죄에서 구원하셨어요.

간식

❶ 카운트다운 영상, 정리하기 노래 등을 활용해 활동이 끝났음을 알린다. 아이들에게 주변을 정리하게 하고, 화장실에 가거나 물티슈 등을 이용해 손을 씻을 시간을 준다.

❷ 감사 기도를 드리고 견과류 파이와 우유를 간식으로 나누어 준다. 간식을 먹기 전에 우리에게 일용할 양식을 주신 하나님께 감사하는 찬양을 함께 부르자고 말한다. "날마다 우리에게 양식을 주시는 은혜로우신 하나님 참 감사합니다" 찬양을 함께 부르고 간식을 먹는다.

❸ 간식을 먹은 후 마무리 정리를 잘하도록 지도한다.

마무리

❶ 이번 주 메시지 카드로 부모님과 함께 오늘 배운 성경 이야기를 나누어 보라고 한다.

가족과 활동해요

- 가장 좋아하는 찬양이 무엇인지 돌아가며 이야기하고 함께 불러 보세요. 한 주 동안 다 함께 시편을 읽으세요.
- 가족이 힘을 합해 찬양을 작사 또는 작곡해 불러 보세요.

❷ 소그룹 활동지를 떼어 파일에 끼우고 가방에 정리하게 한다.

❸ 아이들을 위해 기도한다.

> **인도자** 하나님, 우리의 기도와 찬양을 들어 주셔서 감사해요. 하나님은 정말 많은 방법으로 우리에 대한 사랑을 보여 주셨어요. 무엇보다 예수님을 보내 주신 하나님의 사랑에 감사해요. 예수님은 우리에게 가장 필요한 것을 주시기 위해 십자가에서 죽으시고 다시 살아나셨어요. 우리를 죄에서 구원해 주신 하나님, 정말 사랑해요. 예수님의 이름으로 기도합니다. 아멘.

❹ 아이를 데리러 온 부모에게 아이가 특별히 즐거워했거나 잘했던 활동들에 대해 이야기해 주고, 가정에서 성경 읽기와 가족 활동을 진행할 수 있도록 격려한다.

나만의 기록장

하나님을 찬양하고 싶은 악기 그리기

시편 47:7~8

원곡 : 주와 같이 길 가는 것(새찬송가 430장)

작곡 : A. B. Simpson
편곡 : 김효정

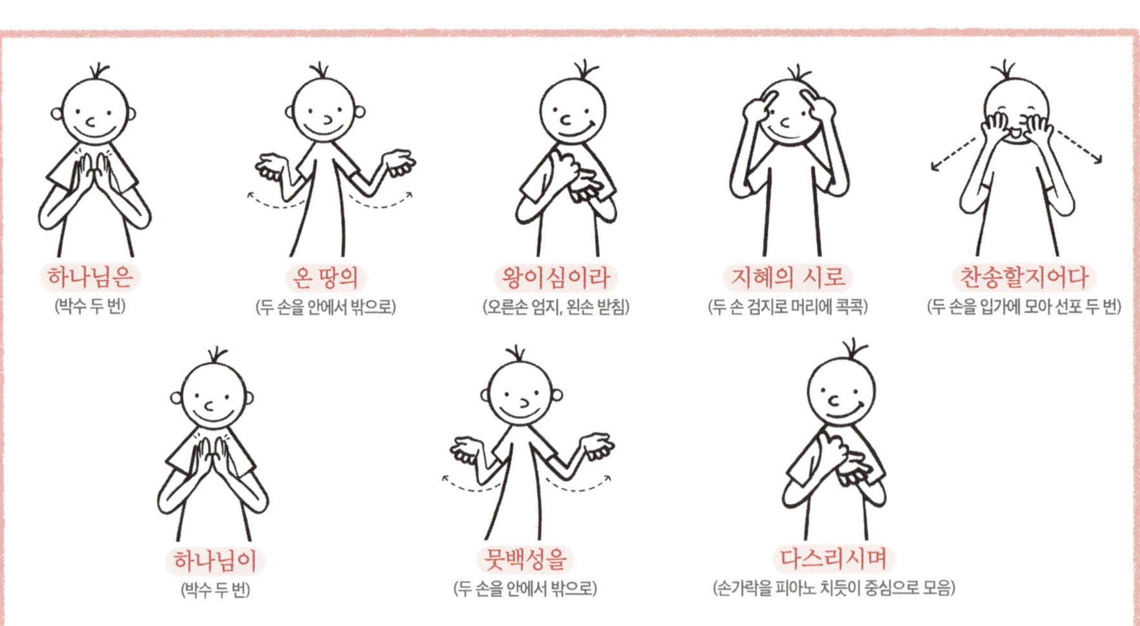

잠언 2:6~7

원곡 : 선한 목자 되신 우리 주(새찬송가 569장)

작곡 : W. B. Bradbury
편곡 : 김효정

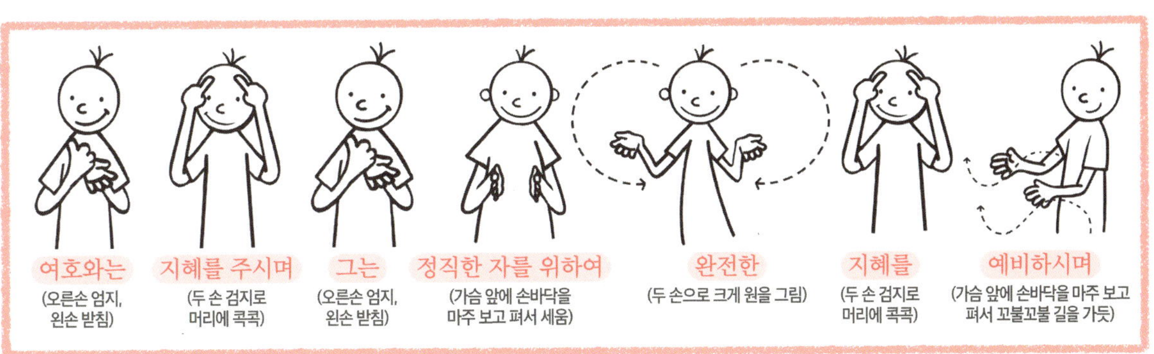

시편 100:5

작곡 : 김효정

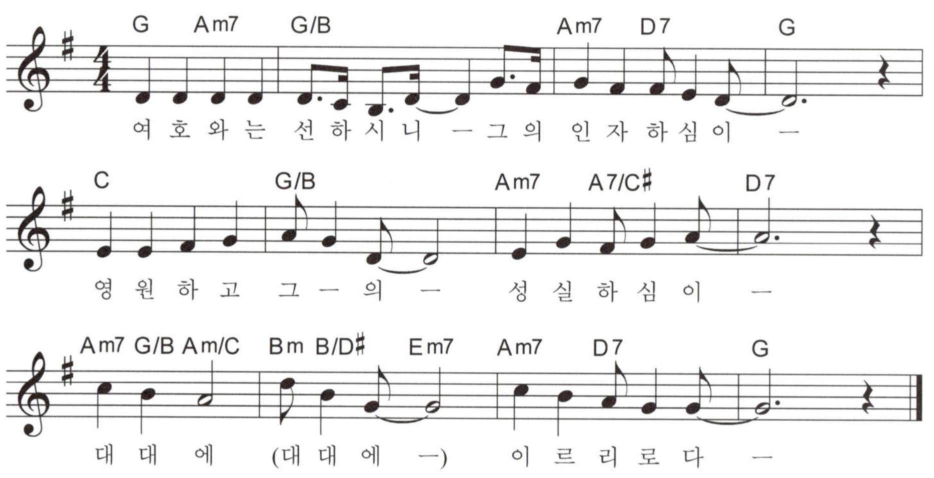

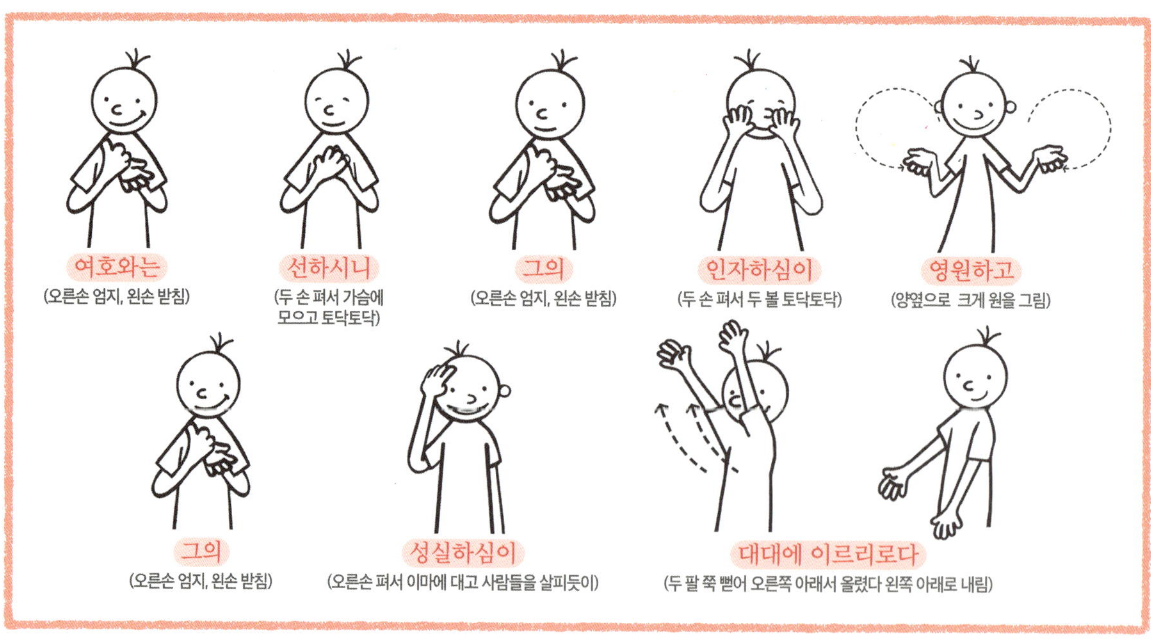

크레용

북
서
동
남
지중해
이스라엘
예루살렘
유다

1권	2권	3권	4권	5권	6권
위대한 시작	**하나님의 구출 계획**	**약속의 땅**	**왕국의 성립**	**선지자와 왕**	**돌아온 하나님의 백성**
창	출, 레, 신	민, 수, 삿, 룻, 삼상	삼상, 상하, 왕상, 욥, 전, 시, 잠	왕상, 왕하, 대하, 사, 렘, 겔, 호, 욘, 욜	단, 에, 느, 말

1단원 창조의 하나님	1단원 구출하시는 하나님	1단원 구원의 하나님	1단원 왕이신 하나님	1단원 계시하시는 하나님	1단원 도와주시는 하나님
1. 하나님이 세상을 창조하셨어요 2. 하나님이 사람을 창조하셨어요 3. 죄가 세상에 들어왔어요 4. 가인과 아벨이 제물을 드렸어요 5. 하나님이 노아와 가족을 구해 주셨어요 6. 바벨탑을 쌓던 사람들이 흩어졌어요	1. 모세를 부르셨어요 2. 이스라엘 백성은 재앙을 피했어요 3. 홍해를 건넜어요 4. 광야에서 시험을 치렀어요 5. 금송아지를 만들었어요	1. 약속의 땅을 정탐했어요 2. 놋뱀을 바라보았어요 3. 하나님이 여리고성을 주셨어요 4. 죄 때문에 아이성 전투에서 졌어요 5. 여호수아가 당부했어요	1. 이스라엘이 왕을 달라고 했어요 2. 하나님이 사울을 버리셨어요 3. 다윗이 골리앗과 맞섰어요 4. 다윗과 요나단이 친구가 되었어요 5. 하나님이 다윗과 언약을 맺으셨어요 6. 다윗이 하나님께 죄를 지었어요	1. 엘리야가 악한 아합을 꾸짖었어요 2. 엘리야가 이세벨을 피해 도망쳤어요 3. 하나님이 나아만을 고쳐 주셨어요 4. 하나님이 이사야를 부르셨어요 5. 이사야가 메시아에 대해 외쳤어요 6. 히스기야는 남 유다의 신실한 왕이었어요	1. 다니엘과 친구들이 하나님께 순종했어요 2. 사드락, 메삭, 아벳느고를 구하셨어요 3. 다니엘을 구하셨어요 4. 하나님의 백성을 고향으로 데려오셨어요 5. 성전이 완성되었어요

2단원 언약을 맺으시는 하나님	2단원 거룩하신 하나님	2단원 다스리시는 하나님	2단원 지혜의 하나님	2단원 포기하지않으시는 하나님	2단원 공급하시는 하나님
7. 하나님이 아브라함과 언약을 맺으셨어요 8. 하나님이 아브라함을 시험하셨어요 9. 하나님이 다시 약속하셨어요	6. 십계명 "하나님을 사랑하라" 7. 십계명 "이웃을 사랑하라" 8. 성막을 지었어요 9. 하나님이 제사의 규칙을 정해 주셨어요 10. 오직 하나님만 예배해요 11. 하나님의 언약을 기억해요	6. 사사들이 이스라엘 백성을 이끌었어요 7. 드보라와 바락이 노래했어요 8. 겁쟁이 기드온이 용사가 되었어요 9. 삼손에게 다시 힘을 주셨어요 10. 룻과 나오미를 보살펴 주셨어요 11. 하나님이 사무엘에게 말씀하셨어요	7. 솔로몬이 지혜를 구했어요 8. 지혜는 하나님께로부터 와요 9. 솔로몬이 성전을 지었어요 10. 이스라엘이 둘로 나뉘었어요	7. 하나님이 호세아를 통해 북 이스라엘에 사랑을 전하셨어요 8. 하나님이 요나를 통해 니느웨에 사랑을 전하셨어요 9. 하나님이 요엘을 통해 남 유다에 사랑을 전하셨어요	6. 에스더를 왕비로 세우셨어요 7. 에스더를 통해 하나님의 백성을 구하셨어요 8. 느헤미야가 예루살렘의 소식을 들었어요 9. 예루살렘 성벽이 다시 세워졌어요 10. 에스라가 하나님의 율법을 읽었어요 11. 말라기를 통해 하나님의 백성에게 경고하셨어요

3단원 언약을 지키시는 하나님			3단원 주권자이신 하나님	3단원 새롭게 하시는 하나님	
10. 야곱이 복을 가로챘어요 11. 하나님이 야곱에게 새 이름을 주셨어요 12. 요셉이 이집트로 팔려 갔어요 13. 요셉의 꿈이 이루어졌어요			11. 솔로몬이 산다는 것에 대해 생각했어요 12. 욥이 고난을 받았어요 13. 하나님을 찬양해요	10. 하나님이 예레미야를 부르셨어요 11. 예레미야가 새 언약에 대해 예언했어요 12. 남 유다 백성이 포로로 잡혀갔어요 13. 에스겔이 앞날의 소망을 이야기했어요	

※세부 내용은 사정에 따라 변경될 수 있습니다.

구약 4 성경의 초점과 주제

1단원 왕이신 하나님

Q 우리의 왕은 누구인가요?
A 예수님이 우리의 영원한 왕이세요.
1. 하나님은 이스라엘의 왕을 세우셨어요.
2. 사울은 하나님의 말씀을 듣지 않아 왕의 자리에서 쫓겨났어요..
3. 하나님은 다윗에게 골리앗을 무찌를 수 있는 힘을 주셨어요.
4. 하나님은 다윗에게 친구를 주셨어요.
5. 하나님은 예수님이 다윗의 자손으로 오실 것이라고 약속하셨어요.
6. 하나님은 다윗을 용서하셨어요.

2단원 지혜의 하나님

Q 지혜는 어디서 오나요?
A 지혜는 하나님께로부터 와요.
7. 솔로몬은 하나님께 지혜를 달라고 했어요.
8. 지혜는 하나님을 사랑하고 하나님의 말씀에 순종하는 거예요.
9. 하나님은 솔로몬에게 성전을 짓게 하셨어요.
10. 하나님은 이스라엘을 두 나라로 나누셨어요.

3단원 주권자이신 하나님

Q 왜 하나님을 믿고 의지할 수 있나요?
A 하나님은 선한 분이시기 때문이에요.
11. 하나님은 우리에게 살아가는 목적을 주세요.
12. 욥은 하나님이 모든 것을 다스리신다는 것을 알게 되었어요.
13. 사람들은 하나님을 찬양하기 위해 노래를 지었어요.